Gabrielle Lord

Traduit de l'anglais par Ariane Bataille

OCTOBRE

RAGEOT

À *Georgia Gabrielle McDonald et Prue.*

Couverture : La cidule*grafic/Nathalie Arnau.

Suivi de la série : Claire Billaud et Guylain Desnoues.

ISBN 978-2-7002-3766-5
ISSN 1772-5771

Cet ouvrage a d'abord paru sous le titre *Conspiracy 365 : October*
chez Scholastic Australia Pty Limited en 2010.
Cette édition est publiée avec l'accord de
Scholastic Australia Pty Limited.

Je m'appelle Cal Ormond,
j'ai seize ans,
je suis un fugitif...

Les personnages de mon histoire...

Ma famille : les Ormond

- **Tom** : mon père. Mort d'une maladie inconnue, il a emporté dans la tombe le secret de notre famille qu'il avait découvert en Irlande. Il m'appartient désormais de percer le mystère de la Singularité Ormond grâce aux dessins qu'il m'a légués.
- **Erin** : ma mère. Elle croit que j'ai agressé mon oncle et que j'ai enlevé ma sœur. J'aimerais tant lui prouver mon innocence !
- **Gaby** : ma petite sœur, 9 ans. Elle est ce que j'ai de plus cher au monde. Après son enlèvement commandité par Oriana de Witt, elle a retrouvé ma mère et Ralf.
- **Ralf** : mon oncle. Il est le frère jumeau de mon père. Dérouté par son attitude depuis la disparition de ce dernier, je ne peux m'empêcher de me méfier de lui. D'autant plus que, désormais, il fréquente ma mère.

- **Bartholomé** : mon grand-oncle. Il a transmis sa passion de l'aviation à mon père. Quand je me suis réfugié auprès de lui dans sa propriété de Kilkenny, il m'a livré de précieux renseignements sur notre famille. Sa mort m'a beaucoup affecté.
- **Emily** : ma grand-tante, sœur de Bartholomé. J'ai récupéré ses documents sur la généalogie des Ormond au couvent de Manressa.
- **Piers** : un jeune homme mort au combat en 1918 à la fin de la première guerre mondiale. Un vitrail du mausolée de Memorial Park le représente sous les traits de l'ange dessiné par mon père. Lui aussi menait des recherches sur la Singularité Ormond. Drake Bones, le notaire de notre famille, détient son testament.
- **Black Tom Butler** : dixième comte d'Ormond et cousin de la reine Elizabeth Iʳᵉ. Elle lui aurait offert le Joyau Ormond pour le remercier de ses loyaux services. Certains pensent qu'il est l'auteur de l'Énigme Ormond.

Les autres

- **Boris** : mon meilleur ami depuis l'école maternelle. Passionné par le bricolage, très ingénieux, c'est un pro de l'informatique. Il est toujours là quand j'ai besoin de lui.

- **Le fou :** rencontré la veille du nouvel an. Il m'a parlé le premier de la Singularité Ormond et conseillé de me cacher 365 jours pour survivre.

- **Nelson Sharkey :** cet ancien inspecteur de police m'apporte régulièrement son aide.

- **Dep :** le « Dépravé » est un marginal qui m'a sauvé la vie et hébergé dans son repaire secret. Expert en arts martiaux et en coffres-forts, il m'a rendu service plus d'une fois.

- **Oriana de Witt :** célèbre avocate criminaliste à la tête d'une bande de gangsters. Après m'avoir extorqué l'Énigme et le Joyau Ormond, elle a ordonné mon meurtre.

- **Kevin :** jeune homme à la solde d'Oriana de Witt. Il a une larme tatouée sous l'œil. Il m'a abandonné dans la Dingo[1] Valley sans se résoudre à me tuer de sang-froid.

- **Sumo :** homme de main d'Oriana de Witt taillé comme un lutteur japonais. Son vrai prénom est Cyril.

- **Drake Bones :** notaire des Ormond et représentant légal d'Oriana de Witt. Il conserve le testament de Piers Ormond.

- **Vulkan Sligo :** truand notoire, chef d'une bande de malfrats. Il souhaite lui aussi percer le secret de la Singularité Ormond et me pourchasse sans relâche.

- **Gilet Rouge :** le surnom que j'ai donné à Bruno, l'un des hommes de main de Vulkan Sligo, car il en porte toujours un.

---

1. Le dingo est un chien sauvage d'Australie.

- **Zombrovski :** surnommé Zombie, ce complice de Vulkan Sligo a fait une chute mortelle du clocher de Manressa.
- **Zombie 2 :** frère aîné de Zombrovski, encore plus costaud que lui. Il est déterminé à venger la mort de son cadet.
- **Murray Durham :** alias Coupe-orteils, célèbre parrain de la mafia.
- **Winter Frey :** jeune fille belle et étrange. Après la mort de ses parents dans un accident de voiture, Vulkan Sligo est devenu son tuteur. Elle m'a aidé à plusieurs reprises et j'apprends peu à peu à lui accorder ma confiance.
- **Ryan Spencer :** je connais enfin le nom de mon sosie. Ce garçon qui me ressemble comme deux gouttes d'eau serait-il mon frère jumeau ?
- **Erik Blair :** un collègue de mon père. Il se trouvait en Irlande avec lui et pourrait avoir des renseignements sur son secret.
- **Jennifer Smith :** elle a été l'infirmière de mon père. Il lui a confié une clé USB pour moi. Cette clé contient des clichés pris par lui lors de son voyage en Irlande.
- **Pr Theophile Brinsley :** conservateur des livres rares du Trinity College de Dublin. Il m'a contacté sur mon blog, m'incitant à lui rendre visite en Irlande. Il est prêt à me révéler des informations précieuses concernant l'Énigme Ormond.
- **Melba Snipe :** cette adorable dame âgée m'a offert l'hospitalité à deux reprises.

- **Griff Kirby :** fugueur de mon âge. Il traîne avec la bande de Triple-Zéro.
- **Triple-Zéro :** chef d'une bande de voyous. Il n'a que trois doigts à une main.
- **Dr Maggot :** indic inquiétant, expert en champignons mortels.
- **Snake et Jacko :** vieux chercheurs d'or qui veulent me livrer à la police pour toucher une récompense. Ils ont pour compagnon un molosse au flair infaillible : La Truffe.

Ce qui m'est arrivé le mois dernier...

1er septembre

Persuadé que ma sœur s'est noyée, je m'écroule à bout de forces sur la berge de la Spin River dans laquelle j'avais plongé pour la sauver. Gaby m'apparaît en rêve. Mais je ne rêve pas, elle est vivante, à mes côtés ! Sharkey, Boris, Winter et moi la déposons à proximité d'un commissariat de police.

12 septembre

Un mail du Pr Theophile Brinsley, conservateur des livres rares du Trinity College de Dublin, me convainc que je dois me rendre en Irlande. D'ici là, avec l'aide de Boris, j'élabore un plan pour espionner Oriana de Witt et découvrir où elle dissimule l'Énigme et le Joyau Ormond.

17 septembre

Je retourne à la casse de Vulkan Sligo avec Winter, car elle veut trouver la voiture dans laquelle ses parents sont morts.

Juste au moment où elle pense l'avoir repérée, Zombie 2 nous surprend. Nous lui échappons de justesse.

18 septembre

De nouveau à la rue, je me réfugie chez Dep, qui accepte de m'héberger.

20 septembre

Après avoir habilement subtilisé la carte de bus de Ryan Spencer, je griffonne au dos « Qui suis-je ? », puis je la glisse dans la boîte aux lettres de Ralf.

De retour chez Dep, une mauvaise surprise m'attend : aidé d'un complice, Triple-Zéro a attaché mon ami à une chaise et saccagé son repaire. Je suis ligoté à mon tour. Triple-Zéro espère bien toucher la récompense pour ma capture, cette fois-ci ; il barricade la porte d'entrée et file avertir la police.

Toutefois, Dep et moi parvenons à nous détacher avant de nous sauver par un tunnel désaffecté. Nous frôlons la mort lorsqu'il s'effondre sur nos têtes.

Par chance, nous sortons vivants de l'éboulement.

21 septembre

Postés en face de la maison d'Oriana de Witt, Boris et moi captons ses conversations grâce à un émetteur miniature camouflé en papillon de nuit que j'ai catapulté dans son bureau.

Nous apprenons qu'elle loue un coffre-fort à la Zürich Bank, où elle conserve l'Énigme et le Joyau.

22 septembre

Accéder au coffre-fort d'Oriana de Witt relève de la mission impossible : il est protégé par un système de sécurité biométrique et un code secret.

Après quelques recherches sur le Net, je décide de capturer l'empreinte digitale de l'avocate afin que Boris la reproduise.

29 septembre

Au moment où je réussis à me procurer les empreintes de l'avocate avec le concours de Winter, quelqu'un me plaque au sol. Je perds connaissance.

Je reviens à moi chez Oriana de Witt. Elle tente de m'étrangler puis charge Kevin de me conduire dans la Dingo Valley – en plein désert – pour m'y tuer.

Au bout de plusieurs heures de route, Kevin me sort du coffre et m'ordonne de m'agenouiller par terre. Un coup de feu éclate…

30 septembre

Je me réveille à plat ventre dans la poussière rouge. Je suis déshydraté mais indemne, la balle tirée par Kevin ne m'a pas touché. En enlevant ma chaussure, j'aperçois une mystérieuse inscription sur ma cheville : CCF 291245.

Par miracle, un vieux chercheur d'or surnommé Snake me recueille et me fait monter dans son 4x4. Il me donne à boire avant de m'emmener chez son associé, Jacko, dans un village sinistre, complètement isolé. Résigné à y passer la nuit avant de prendre un car pour Richmond, je découvre que ces deux individus comptent me livrer à la police pour toucher la prime !

Après une lutte acharnée contre Snake, je m'enfuis à toutes jambes dans les ténèbres du désert, poursuivi par les deux prospecteurs et leur énorme chien limier.

OCTOBRE

1er octobre
J –92

Dingo Valley
Australie

00:06

En un éclair, j'ai fui cette masure cauchemardesque, sauté par-dessus les barbelés et foncé dans la nuit.

Poursuivi par les vociférations de Snake et Jacko et les aboiements, encore plus terrifiants, de La Truffe, j'ai couru comme un dératé en soulevant un nuage de poussière derrière moi. Le sol dur était jonché, çà et là, de morceaux de fer rouillés et de dépouilles animales desséchées, autant de pièges qu'il me fallait esquiver.

J'ignorais comment ces deux vieux prospecteurs parvenaient à tenir la distance, mais ils s'accrochaient. Pire, d'après les hurlements de leur molosse, ils se rapprochaient.

Un coup de feu a éclaté. J'ai plongé à terre. Était-ce un simple tir de sommation, ou me prenaient-ils pour cible ?

J'ai craché la poussière collée sur ma langue et repris ma course.

Impossible de les semer. Le terrain se modifiait au fur et à mesure que j'avançais. À présent, des buissons et des rochers me barraient la route, m'obligeant à les contourner. Je désespérais de découvrir un moyen de tromper le flair de La Truffe. Si seulement je dénichais un ruisseau, le chien perdrait ma trace.

Un ruisseau ? En plein désert ? Je rêvais !

00:17

Le molosse gagnait du terrain. J'ignorais quelle distance me séparait de Snake et Jacko ; La Truffe, en tout cas, n'était plus très loin. Ses aboiements s'amplifiaient. Encore quelques secondes et il me sauterait dessus, ne faisant de moi qu'une bouchée.

Dans ma panique, j'ai percuté de plein fouet un épais buisson d'épineux.

Sans hésiter, je me suis enfoncé au milieu de ses branches inhospitalières en tirant mon sac à dos de toutes mes forces, m'écorchant de la tête aux pieds.

Blotti dans un creux végétal, le cœur battant à cent à l'heure, je me suis efforcé de reprendre mon souffle. L'espace d'une seconde, j'avais espéré que cette masse hérissée de piquants dissuaderait le chien de me suivre… Mais je savais que l'animal ne me lâcherait pas si facilement.

D'un bond, il s'est planté devant le buisson.

J'ai retenu ma respiration quand sa grosse tête a pivoté dans ma direction. La truffe au ras du sol, il s'est mis à renifler et à avancer. Puis il a glissé sa tête sous le branchage et commencé à ramper en évitant les épines les plus menaçantes.

– Va-t'en, mon vieux, ai-je supplié à voix basse dès que j'ai senti son haleine chaude sur ma joue. S'il te plaît, La Truffe, va-t'en.

Son museau se trouvait à dix centimètres de mon visage. Il a grogné. J'ai tenté de reculer le plus possible en me tortillant.

Soudain, il a disparu.

Un coup d'œil à travers le feuillage m'a permis de repérer sa silhouette qui se découpait contre le ciel sombre. Assis à deux mètres de moi, silencieux, La Truffe ne bougeait plus. Il avait beau savoir que j'étais là, il ne m'attaquait pas.

Attendait-il ses maîtres pour qu'ils aient le plaisir de m'extraire eux-mêmes du buisson ?

J'entendais déjà leurs voix hostiles. Les faisceaux de leurs lampes torches éclairaient la poussière et les insectes en suspension dans l'air. Plus question de bouger d'un millimètre.

Crispé, terrifié, j'ai patienté. D'un moment à l'autre, des aboiements risquaient d'exploser.

– Je t'en prie, La Truffe, ne leur signale pas ma cachette. N'aboie pas. S'il te plaît!

Il s'est retourné vers moi en grondant. De longs filets de bave pendaient de sa gueule. D'un bond, il s'est jeté dans le buisson. J'aurais mieux fait de me taire!

– Non, sois gentil, l'ai-je supplié. Laisse-moi tranquille. Va-t'en!

Il a continué d'avancer inexorablement, jusqu'à coller sa grosse tête contre la mienne. J'ai fermé les yeux, serré les dents, prêt à être mordu par le molosse. Au lieu de quoi, j'ai senti une langue épaisse et mouillée contre ma joue. Je n'ai pas bougé d'un quart de millimètre. Le chien léchait ma figure en sueur couverte de poussière.

Ensuite, La Truffe a poussé un grognement puis reculé pour se dégager du buisson d'épineux.

Parvenu à l'air libre, il a détalé en aboyant. La Truffe entraînait les chasseurs de primes dans une autre direction!

Il n'avait pas dévoilé ma cachette...

Recroquevillé et tremblant, j'ai regardé avec soulagement les rayons lumineux des lampes torches s'éloigner. Certains animaux étaient peut-être plus doués que les humains pour distinguer le bien du mal.

J'ai essuyé mon visage avec la manche de mon sweat et j'ai murmuré:

– Brave bête.

Une fois le calme revenu et les faisceaux des torches disparus, j'ai rampé hors de mon abri de piquants et me suis mis en chemin à la seule lumière des étoiles.

J'espérais que mon souvenir de la carte affichée dans l'épicerie de Jacko serait suffisamment précis pour me mener jusqu'à la grande voie de circulation.

01:20

J'ai cru distinguer un lointain bruit de moteur. Était-ce le fruit de mon imagination ? Je me suis arrêté pour écouter.

Je ne m'étais pas trompé. Il s'agissait sans nul doute d'un de ces énormes semi-remorques qui foncent dans la nuit comme si la route leur appartenait.

Je suis reparti au petit trot alors qu'une lueur apparaissait à l'horizon. Quelques secondes plus tard, des phares puissants ont percé l'obscurité. Puis le camion entier a surgi, illuminant les ténèbres. Je l'ai accompagné des yeux jusqu'à ce qu'il disparaisse.

S'il en était passé un, d'autres suivraient. Toutefois j'avais beau être mort de soif et de fatigue, pas question de faire du stop. J'étais heureux d'être libre, en vie, et d'avoir atteint une route qui me permettrait de regagner la ville.

Dès que j'ai perçu un nouveau bruit de moteur, je me suis jeté à terre. Je préférais jouer la carte de la prudence. Je n'avais aucune envie qu'on me reconnaisse et je redoutais par-dessus tout que Snake et Jacko, déçus par leur chien, n'aient eu l'idée de partir à ma recherche en 4x4.

Un poids lourd m'a doublé. Je me suis remis à marcher avec une seule obsession en tête : boire.

Je me traînais le long de la route, de plus en plus ralenti par l'épuisement et la déshydratation.

Un semi-remorque arrivait presque sur moi quand j'ai remarqué l'éclat de ses phares sur l'asphalte. La peur de me faire repérer a eu l'effet d'une bombe. J'ai plongé et rampé jusqu'à un rocher pour me dissimuler.

Le son caractéristique de l'enclenchement des freins à air comprimé a déchiré l'air.

Le chauffeur m'avait vu, il s'arrêtait !

Le camion s'est déporté sur le bas-côté et a stoppé à quelques mètres de moi.

Désespéré, j'ai cherché des yeux une meilleure cachette, sans succès : il n'y en avait aucune à l'horizon.

La portière de la cabine s'est ouverte. Le conducteur a sauté à terre. Instinctivement, j'ai posé la main sur le manche de mon couteau et attendu, pétrifié. Il fallait que je l'impressionne. Cependant, au lieu de se diriger vers moi, l'homme s'est éloigné d'un pas rapide.

Il voulait juste satisfaire un besoin urgent!

J'ai failli éclater de rire.

Un coup d'œil à la remorque m'a suffi pour comprendre qu'elle m'offrait la chance d'effectuer le reste du chemin en passager clandestin. À la lueur des feux arrière, j'ai repéré un coin de sa bâche, mal fixé, qui claquait au vent.

Sans hésiter, j'ai piqué un sprint et grimpé à l'abri.

Accroupi dans le noir, je m'interrogeais sur la nature du chargement. Lorsque mes yeux se sont habitués à l'obscurité, je me suis cru victime d'une hallucination. J'étais entouré de palettes où s'alignaient des cylindres en plastique transparent remplis... d'eau.

J'étais tombé sur un livreur de bonbonnes!

Le chauffeur est remonté dans sa cabine. Quand il a démarré, une embardée a failli m'envoyer valser quelques mètres plus loin. Dès que j'ai retrouvé mon équilibre, le sourire aux lèvres, je me suis placé sous une bonbonne dont j'ai fait sauter la capsule avec la lame de mon couteau.

À l'approche d'un immeuble de bureaux, dans la banlieue de Richmond, le camion a ralenti peu à peu. J'en ai profité pour sauter à terre. Sans le savoir, le chauffeur m'avait presque déposé là où je souhaitais aller.

Immédiatement, j'ai cherché une cabine téléphonique pour appeler Boris.

– Winter va bien ? me suis-je enquis.

– Oui, oui, mais toi ? Qu'est-ce qu'ils t'ont fait ? Où es-tu ?

– Je suis de retour.

– D'où ?

– De l'enfer, mon pote. De l'enfer.

J'ai frémi en pensant aux deux horribles prospecteurs et aux plans machiavéliques d'Oriana de Witt.

– Winter t'a remis le sac à main portant l'empreinte d'Oriana de Witt ?

– Non seulement elle me l'a donné, mais je m'entraîne déjà à manipuler le cyanoacrylate[1].

– Tu m'en diras tant.

Heureusement que je pouvais compter sur mes amis en toutes circonstances. Par chance, l'émetteur introduit chez l'avocate nous avait appris que l'Énigme reposait dans un coffre-fort de la Zürich Bank. Cependant il nous restait à

---

1. Le cyanoacrylate de méthyle, substance adhésive très puissante plus connue sous l'appellation « super-glu ».

exécuter une opération de piratage biométrique très complexe. Nous n'étions qu'une bande d'adolescents. Serions-nous de taille à pénétrer dans une banque internationale?

– Tu crois qu'on peut se rencontrer chez Winter?

– Mec, je ne…

– Allô?

Un bip a retenti, puis plus rien. La communication avait été coupée. J'ai raccroché et fouillé mes poches à la recherche de pièces de monnaie.

Je transportais une petite fortune en pépites d'or, pourtant je ne possédais même pas de quoi passer un coup de téléphone! Il fallait à tout prix que je trouve un endroit où recharger mon portable.

J'ai remarqué une station-service à l'angle de la rue. Avec un peu de chance, elle aurait des toilettes.

Yes! Juste derrière un distributeur automatique de boissons et l'appareil à gonfler les pneus, la porte était grande ouverte. Je m'y suis glissé discrètement en espérant que personne ne me remarquerait.

Dès que je suis entré dans le local, j'ai regretté la salle de bains immaculée de la villa de Crystal Beach. Ici, rien de comparable : les deux cuvettes débordaient de papier jusque sur le carrelage mouillé et boueux – si c'était bien

de la boue –, tandis qu'une douzaine de fau-
cheux se baladaient en haut des murs couverts
de graffitis.

Au-dessus du lavabo, j'ai repéré une prise où
brancher mon chargeur. Lorsque j'ai baissé les
yeux, un visage bronzé me fixait dans le miroir.
Pour un fugitif abandonné à son triste sort
dans le désert brûlant, qui venait d'échapper
par miracle aux griffes de deux chasseurs de
primes et de leur chien, je ne m'en sortais pas
mal.

En ôtant la capuche de mon sweat pour me
passer de l'eau sur la figure et secouer mes cheveux pleins de poussière, j'ai senti quelque chose
dans mon cou. Un bout de tissu. Intrigué, j'ai
tiré dessus. C'était le foulard léopard d'Oriana
de Witt! Je n'y avais pas touché depuis qu'elle
avait essayé de m'étrangler avec!

Instinctivement, je l'ai roulé en boule. Alors
que j'allais le jeter dans la poubelle, je me suis
ravisé. Il s'avérerait peut-être utile.

Je l'ai rangé dans mon sac posé par terre. J'en
ai profité pour brosser mon pantalon des deux
mains.

Sur ma cheville, l'inscription CCF 291245 m'a
une fois de plus sauté aux yeux. Que signifiait-
elle donc?

21:06

Winter a jailli de son studio et couru à ma rencontre avant que j'aie gravi les dernières marches. Appuyé contre un mur de brique au pied de l'escalier, j'avais failli m'endormir en attendant que sa préceptrice finisse son cours particulier. J'avais compris que la voie était libre en voyant miss Sparks sortir, un sac bourré de livres sur l'épaule, puis s'éloigner au volant de sa petite voiture jaune.

Winter s'est jetée dans mes bras.

– Je regrette vraiment de ne pas avoir réagi plus vite quand Sumo t'est tombé dessus. Mais, tu sais, je me suis échappée de justesse…

– Si on rentrait ? ai-je proposé en lui prenant la main. Ne t'inquiète pas. Tu as réagi exactement comme il le fallait. Tu as protégé le sac avec les empreintes. Et puis tu m'as déjà sauvé la vie tellement de fois que je peux me débrouiller tout seul de temps en temps. D'ailleurs me voilà de retour, sain et sauf. Enfin presque.

Je me suis frotté la gorge, encore douloureuse après la tentative d'étranglement d'Oriana de Witt et ma lutte acharnée contre Snake.

Winter s'est empressée de débarrasser le canapé de ce qui l'encombrait.

– Installe-toi, Cal.

Je me suis effondré sur la banquette après avoir attrapé au passage un oreiller sur le lit. Malgré moi, mes yeux se sont fermés. J'ai tenté de lutter contre le sommeil pour écouter Winter, mais sa voix s'est estompée peu à peu...

2 octobre
J –91

`11:04`

― Qu'est-ce que ça sent?

Le nez plissé de dégoût, je me suis redressé avec difficulté. D'où venait cette odeur épouvantable? Et quelle heure était-il?

― Boris le prodige a installé son laboratoire ici, m'a expliqué Winter en levant les yeux de son livre.

― Boris? Où ça? Quand?

― Il est onze heures passé, Cal. Hier soir, tu t'es écroulé dès que tu as franchi le seuil! Depuis ce matin aux aurores, Boris monopolise la hotte aspirante de la cuisine pour se livrer à ses expériences. Il s'exerce sur ses empreintes et avec une colle absolument infecte.

Winter est allée ouvrir la fenêtre.

– Il est reparti?

– Oui, acheter de la super-glu. Il ne devrait pas tarder.

Soudain, ses yeux se sont arrêtés sur moi et elle a étouffé un éclat de rire derrière sa main.

– Qu'est-ce qu'il y a?

– Boris est vraiment incorrigible!

– Quoi?

– Regarde-toi plutôt dans la glace.

J'ai bondi du canapé, titubé jusqu'à la salle de bains et allumé la lumière.

– Il mériterait que je le tue! Ce n'est pas drôle!

Le visage bronzé qui me fixait s'ornait d'une grosse moustache en guidon de vélo dessinée au feutre noir.

11:23

Winter a attendu que je me lave la figure pour m'informer des travaux de Boris le prodige.

– Voici ce qu'il a obtenu.

Elle m'a montré une empreinte digitale matérialisée sur un film lisse, souple et transparent.

– Incroyable, ai-je murmuré en passant légèrement l'index dessus. Je sens les aspérités. Elles sont bien définies.

– D'après Boris, ce prototype suffit pour tromper le scanner de son ordinateur. En revanche, ceux de la Zürich Bank sont sans doute beaucoup plus sophistiqués.

Un bruit nous a fait sursauter. Winter a observé l'extérieur par la fenêtre.

– Pas de panique, c'est lui.

Elle a ouvert la porte. Boris est entré, un sac en papier sous le bras.

– Ha! Ha! Je vois que tu t'es rasé, a-t-il plaisanté en se caressant la lèvre supérieure.

– Heureusement pour toi qu'elle a disparu au lavage, ai-je rétorqué en lui donnant une bourrade amicale. À la différence de cette inscription.

J'ai remonté la jambe de mon jean et baissé ma chaussette pour dénuder ma cheville.

CCF 291245

– Qu'est-ce que ça signifie? s'est étonné Boris.

– J'aimerais bien le savoir! Tout ce que je peux affirmer, c'est qu'Oriana de Witt voulait ma mort. Elle a ordonné à Kevin de se débarrasser de moi dans le désert de la Dingo Valley. Apparemment, il ne s'est pas résolu à passer à l'acte puisque je me suis réveillé en plein désert, vivant. J'ai alors découvert ces lettres et ces chiffres sur ma cheville. Impossible de les effacer. Ils sont marqués à l'encre indélébile, comme un tatouage.

– CCF 291245, a lu Boris à haute voix. Un numéro de téléphone?

– Il n'y a pas assez de chiffres!

– Un anniversaire peut-être ? a suggéré Winter. Tu connais quelqu'un qui serait né le 29 décembre 1945 ?

J'ai secoué la tête. Cette date ne m'évoquait rien.

Boris a noté les lettres et les chiffres sur son petit carnet.

– Pour quelle raison Kevin a-t-il laissé cette inscription sur ta cheville ? Car c'est forcément lui. À moins qu'un randonneur te découvrant par terre n'ait décidé de te numéroter pour t'inscrire à son registre des naufragés du désert !

– C'est une énigme. En tout cas, si je suis encore en vie, c'est grâce à Kevin – un sale type, d'accord, mais pas un tueur. Oriana de Witt est d'une cruauté incroyable. Elle traite ses sbires comme des chiens. Pire même. Et quand elle m'a eu à sa merci, elle a failli me tuer de ses propres mains.

J'ai tiré le foulard léopard de mon sac :

– Elle a voulu m'étrangler avec ça.

Winter a grimacé en tenant le tissu à bout de bras, comme s'il était porteur d'une maladie contagieuse.

– Alors, qu'est-ce que tu as acheté ? ai-je demandé à Boris.

– De la colle.

Il a vidé sur la table le sac en papier d'où sont tombés deux tubes de super-glu. Puis il a pris le film transparent que j'avais remarqué.

– Winter m'a dit que ton prototype était assez précis pour tromper ton PC, ai-je observé. Pour autant suffira-t-il à duper le scanner de la Zürich Bank ?

Il a haussé les épaules.

– L'idée paraît complètement dingue, Cal, cependant ça vaut la peine de tenter le coup. Tu n'auras qu'à l'enfiler sur ton doigt et l'appuyer contre la vitre du scanner. L'opération doit marcher. En principe.

– Je ne voudrais pas jouer les rabat-joie, est intervenue Winter, mais en admettant que ça marche, il faudrait déjà pénétrer à l'intérieur de la banque et accéder au scanner sans se faire arrêter. En plus, on ne connaît toujours pas le code secret d'Oriana de Witt. Tous les coffres-forts sont protégés par une combinaison. Si on ne compose pas la bonne, impossible d'ouvrir la porte. Il faut à tout prix obtenir ce code !

– En attendant de débloquer la situation, il nous reste des pistes à creuser : n'oubliez pas le testament de Piers Ormond, leur ai-je rappelé. Il contient peut-être une information capitale, alors tentons à nouveau de mettre la main dessus.

– Qu'est-ce que tu proposes ? a grogné Boris. Drake Bones t'a déjà doublé une fois. Tu t'imagines qu'il va accepter de te fournir le testament maintenant ? Tu délires ! Si ça se trouve, il ne l'a même pas.

J'ai repensé à mon rendez-vous raté avec le notaire, dans l'entreprise de pompes funèbres de son frère, et à l'inconnu qui avait surgi d'un cercueil comme un diable de sa boîte pour m'assommer. Bones était un adversaire dangereux.

Dépités, nous nous sommes observés en silence. En voulant poser les coudes sur mes genoux, j'ai frôlé la poche rebondie de mon jean.

– Oh, oh… J'ai quelque chose qui va vous redonner le sourire…

Curieux, Boris et Winter se sont penchés tandis que j'étalais sur la table une poignée de pépites.

Boris a cligné des paupières. Une main plaquée sur sa bouche, Winter en a ramassé une, puis elle a tourné vers moi son regard étincelant :

– Voilà qui nécessite quelques explications, non ?

– Plutôt, mec, a renchéri Boris. Avant que la curiosité ne nous consume sur place.

Winter l'a menacé en souriant avec une fourchette :

– Ah non, Boris, ne parle plus de combustion ici, s'il te plaît. Tu nous as suffisamment enfumés ce matin, merci !

Aussitôt, je me suis lancé dans le récit de mes aventures devant Boris, vautré sur la table, et Winter assise sur une chaise. Boris m'écoutait les yeux écarquillés, les sourcils remontés presque jusqu'à la racine des cheveux.

Envoûtée, Winter ne perdait rien de ma description des prospecteurs cinglés qui avaient voulu me ficeler en attendant de me livrer aux policiers, ni de la manière dont je leur avais échappé, sans oublier les rats et l'os, sûrement humain, trouvé dans ma chambre. Lorsque j'en suis arrivé à l'épisode où La Truffe avait choisi de ne pas signaler ma cachette à ses maîtres, mes deux amis n'en ont pas cru leurs oreilles.

– Snake m'a attaqué juste avant que je réussisse à me sauver, leur ai-je expliqué. Nous luttions corps à corps lorsque la table de la cuisine s'est renversée. Toutes ces merveilles ont roulé sur le sol. Il y en avait partout! Ce grigou devait compter son or quand je suis descendu. J'ai raflé tout ce que j'ai pu. Selon lui, les filons étaient épuisés...

– Ben voyons! s'est exclamée Winter en examinant une des plus grosses pépites.

Boris a secoué la tête.

– T'es un sacré veinard, toi!

– Tu plaisantes? Avec tout ce qui m'arrive depuis neuf mois?

– Boris a raison, a déclaré Winter en reposant la pépite. Au milieu de toutes ces catastrophes, tu as beaucoup de chance. Oriana de Witt ne t'a pas étranglé; Kevin ne t'a pas tué dans le désert; quant à La Truffe, il t'a laissé partir sans une égratignure. Et maintenant, te voilà de retour avec de l'or plein les poches! Un ange gardien veille sur toi, pas de doute.

– L'ange Ormond? a ricané Boris.

– Ça m'étonnerait, ai-je répliqué.

Je ne partageais pas leur avis, toutefois j'ai reconnu que l'apparition du livreur d'eau sur ma route avait été providentielle.

Winter a extrait d'un tiroir une petite bourse en velours qu'elle a poussée vers moi pour que j'y range les pépites.

– À votre avis, que dois-je en faire?

Boris a soupesé la sacoche.

– Je connais un marchand d'or. Il tient la boutique « Gold & Gem ». Mon oncle Vlad a affaire à lui, de temps en temps. Il aime acheter et vendre de l'or, car il se méfie des billets. À la louche, tu as dans les quatre mille dollars là-dedans. Pas moins.

J'ai failli m'étouffer.

– Tu crois?

– Je t'assure.

Radieux, Boris a griffonné le nom et l'adresse du marchand sur une page de son carnet qu'il m'a tendue après l'avoir déchirée.

– Au fait, a-t-il ajouté en sortant une feuille de papier rose de son sac, c'est pour toi. Elle m'a dit que tu comprendrais.

Gaby avait dessiné un chat à mon intention. En dessous, elle avait écrit : « *Merci! Sois prudent!* »

4 octobre
J –89

Fitform

13:19

Assis à côté de moi au fond de la salle de gym, dans son survêtement gris trempé de sueur, une serviette éponge autour du cou, Nelson Sharkey a écouté mon récit. Il m'a offert une gorgée de sa boisson énergétique.

– Non, merci. Je voudrais obtenir un document de Drake Bones, le notaire. Seulement je sais qu'il refusera. Vous n'auriez pas une idée pour l'y obliger ?

– Tu ne me demandes tout de même pas de jouer les gros bras pour l'intimider ?

– Non, je pensais plutôt à un moyen de faire pression sur lui. Un genre de chantage, quoi !

Nelson a réfléchi un instant, avant de hocher la tête.

– Pas bête! Des rumeurs circulent à son sujet depuis des années. Des allégations sur des héritages détournés de vieilles veuves ou des transactions immobilières louches… Naturellement, il n'existe aucune preuve.

– Mais ce notaire est un criminel. Il a participé au complot qui a failli me tuer.

– Cela ne m'étonne pas ; quand un individu agit en hors-la-loi depuis longtemps, ça lui colle à la peau toute sa vie.

Sharkey a marqué une pause pour lancer sa bouteille vide dans une poubelle, à cinq ou six mètres de distance. Panier !

– Il faut découvrir des preuves de ses magouilles pour le contraindre. Ce ne sera pas facile.

– Je l'espionnerai comme j'ai espionné les autres. Pour comprendre ce qu'il manigance, où il va, qui il rencontre.

– Parfait. C'est exactement la tactique à adopter. S'il projette quelque chose, tu ne manqueras pas de le pincer tôt ou tard.

Gold & Gem

14:53

———

La boutique se trouvait à l'angle d'une rue. J'ai sonné. De l'autre côté de la porte en verre, un homme m'a dévisagé attentivement avant de m'ouvrir et de lancer :

– Que puis-je pour vous ?

Il avait trois dents en or, un costume sombre et une cravate lacet.

– J'ai de l'or à vendre, ai-je répondu.

Le cou rejeté en arrière, il m'a détaillé de la tête aux pieds avec un rictus méprisant.

– Voyons ça.

J'ai incliné la bourse en velours. Les pépites ont roulé bruyamment dans un plateau posé sur le comptoir. J'en avais gardé la moitié de côté, ne voulant pas tout vendre.

Le marchand a souri. Un éclat doré a fusé de ses lèvres.

– Petit veinard. D'où viennent-elles ?

– De la Dingo Valley.

Il a haussé les sourcils. Puis il a plongé ses yeux dans les miens tout en frottant l'une des pépites avec un chiffon fin. Elles étincelaient sous les spots du plafond – certaines rondes et lisses, d'autres plus irrégulières, déchiquetées ou criblées de trous.

Le marchand a marmonné, sorti sa loupe de joaillier pour les examiner une par une avant de les transvaser du plateau sur une minuscule balance. Puis il s'est redressé et m'a fixé d'un air suspicieux.

Mal à l'aise, j'ai lancé :

– Eh bien ?

– Cinq cents dollars.

– Cinq cents dollars? Vous plaisantez? Elles en valent plus de deux mille, ai-je protesté en m'appuyant sur l'estimation de Boris. Je suis loin d'être un imbécile!

Les dents en or du marchand ont de nouveau brillé quand il a susurré avec un sourire torve :

– Ne me raconte pas que tu t'es procuré cet or d'une manière honnête. Prends la somme que je te propose et estime-toi heureux.

– Vous ignorez de quoi vous parlez...

– On ne me berne pas facilement, a-t-il coupé. Je sais reconnaître un menteur aussi sûrement qu'un faux diamant. Tu n'as pas extrait cet or toi-même. Il n'y a qu'à voir tes mains : elles n'ont jamais soulevé une pioche. Je parie que tu les as fauchées à quelqu'un, ces pépites. Alors, accepte mon offre ou va-t'en.

– Je les ferai estimer ailleurs.

– Comme tu voudras. Je te souhaite bien du courage.

– Il y en a pour deux mille dollars au bas mot, ai-je insisté. Et vous ne m'en proposez même pas la moitié!

– Six cents dollars ou je préviens la police.

J'étais coincé. Il me tenait. Je n'allais pas courir le risque qu'il mette sa menace à exécution.

Il a replié sa loupe, transvasé les pépites de la balance sur le plateau, puis il a tendu la main vers son téléphone. Je l'ai arrêté d'un geste.

– Marché conclu, ai-je cédé.

Un portefeuille en soie rouge est apparu comme par magie dans sa main. Tandis qu'il comptait les billets, j'ai soudain perçu une bouffée de cette odeur étrange que j'avais sentie juste avant d'être assommé dans le funérarium. Elle semblait provenir de derrière une porte fermée.

– Cette odeur, qu'est-ce que c'est ? ai-je demandé tout en m'efforçant de l'identifier.

D'un mouvement habile, le marchand a escamoté les pépites et étalé douze billets de cinquante dollars sur le comptoir.

– Fiche le camp ou j'appelle les flics !

5 octobre
J –88

14:14

Après le déjeuner, Winter et moi avions avancé quelques hypothèses au hasard dans l'espoir de coincer Drake Bones. Comment trouver une affaire scandaleuse susceptible de le faire chanter?

Dans un coin de la pièce, des zèbres galopaient en silence sur l'écran de la télévision. Assise à son bureau, Winter avait du mal à se concentrer. Elle a bâillé avant de laisser tomber sa tête sur une pile de livres.

J'ai jeté un coup d'œil intéressé à leurs titres : le premier ouvrage était une biographie de la reine Elizabeth Ière.

Winter s'est redressée.

– Et si Oriana de Witt s'acharnait sur la Singularité Ormond parce qu'elle imagine avoir un lien personnel avec la reine Elizabeth Ière ? Toutes les deux sont des femmes de pouvoir. En outre, Oriana est l'un des prénoms que les poètes de l'époque donnaient à Elizabeth Ière. L'avocate se prend peut-être pour sa réincarnation !

– Elle en a les cheveux roux.

Winter a pivoté, face à moi, et croisé les jambes sur sa chaise.

– C'est intéressant d'essayer de comprendre les motivations des individus. Sligo souhaite obtenir le respect de la bonne société. De ce côté-là, Oriana de Witt est comblée. Tous les deux possèdent de l'argent. Et du pouvoir. Il existe des gens jamais satisfaits de leur sort et qui exigent toujours plus.

– Eh bien moi, j'aimerais encore de la soupe au potiron ! Il en reste ?

– Oui, dans le réfrigérateur. Bonne idée !

J'ai sauté de ma banquette pour aller la chercher.

Winter s'est levée pour récupérer deux bols dans l'évier avant de déclarer :

– Revenons au cas Bones. Nous savons tous que c'est un criminel. Sharkey a sans doute raison. En le surveillant de près, on a une chance de le surprendre la main dans le sac. À nous trois – toi, Boris et moi – on devrait pouvoir le tenir à l'œil et découvrir une preuve compromettante pour le faire chanter.

Au même moment, un texto signé Boris est arrivé :

 Amélioration empr1te 6ble. Essai 1 raT. Repar 2 0.

– Pourvu qu'il réussisse, a soupiré Winter après avoir lu le message. Enfin, je suis contente qu'il ait installé son laboratoire ailleurs.

Elle a consulté la pendule murale.

– N'oublie pas que miss Sparks passera en fin d'après-midi.

– Ne t'inquiète pas. Dans deux heures, je file dénicher un nouvel abri.

La planque
38 St Johns Street

19:46

Un grillage provisoire, sur lequel on avait accroché le panneau publicitaire d'une agence immobilière, entourait désormais la propriété. Les portes et les fenêtres étaient toujours condamnées. Quant à la végétation, plus dense et sauvage que jamais, elle assiégeait la vieille bâtisse comme si elle voulait l'engloutir.

Une fois la clôture aisément franchie, je me suis faufilé entre les buissons et les hautes herbes, aux aguets, prêt à détaler au moindre bruit ou mouvement suspect.

Tout était calme. J'ai rampé sous la véranda pour pénétrer à l'intérieur de la maison, comme Boris et moi avions l'habitude de le faire au début de l'année. Le trou dans le plancher demeurait visible, même si on l'avait grossièrement bouché avec quelques lattes. Couché sur le dos, il m'a suffi de deux ou trois vigoureux coups de pied pour les déclouer. Je pouvais à présent réintégrer mon ancien domicile.

Des éclats de lumière filtraient de la rue à travers les fentes des fenêtres. Le sol était propre, les plafonds débarrassés de leurs toiles d'araignée et il ne restait aucun des meubles pourris qui moisissaient dans les différentes pièces. L'escalier croulant avait complètement disparu, remplacé par une échelle étroite. Avant de la gravir, je me suis assuré que les barreaux tenaient bon.

La tête au ras du premier étage, j'ai regardé autour de moi. Le plancher ne paraissait pas très solide, toutefois l'espace était désert. Une bâche en plastique couvrait le toit là où des tuiles cassées laissaient autrefois passer le vent et la pluie.

De retour au rez-de-chaussée, j'ai vérifié la salle de bains. On avait descellé le lavabo cassé sans toucher à la robinetterie ni aux toilettes.

Quelqu'un s'était efforcé de rendre les lieux pré-sentables. On devinait cependant que la maison n'avait pas été occupée depuis longtemps. Qu'était devenue l'agence immobilière ? Peut-être avait-elle fait faillite.

J'ai décidé de m'installer là provisoirement, en restant sur mes gardes.

8 octobre
J –85

07:20

Il nous fallait maintenant organiser l'opération « surveillance de Drake Bones » autour
de son domicile et de son bureau. La table de
Winter disparaissait sous les notes et les piles
de toasts. Dans un coin de la pièce, des images
clignotaient sur l'écran de la télévision dont le
son était coupé.

J'ai pris une tranche de pain de mie et étalé
dessus une épaisse couche de beurre de caca-
huète croustillant.

D'un signe de tête Boris m'a indiqué qu'il en
voulait une, lui aussi.

Winter a fini la sienne et léché une goutte de
confiture de framboise sur son doigt.

51

– Cal, si on ne se trompe pas au sujet de Bones – s'il a en effet des activités criminelles – il doit dissimuler de lourds secrets. Aussi lourds que ceux de Sligo.

Brusquement distraite par la télévision, elle s'est écriée :

– Regardez ! Quand on parle de criminels...

Elle s'est ruée sur la télécommande pour remettre le son.

Le visage d'Oriana de Witt envahissait l'écran. La fureur lui donnait presque la même teinte que l'échafaudage de cheveux qui le surmontait.

Winter a posé un doigt sur ses lèvres.

– À la suite d'un appel anonyme, la police interroge actuellement les membres du personnel de Maître de Witt, qui réfute en bloc les accusations portées contre elle.

– C'est un scandale ! vitupérait l'avocate devant les micros qui l'encerclaient. Je n'ai rien à voir avec l'enlèvement de la petite Ormond. Ces accusations ridicules émanent d'un ex-employé malveillant. Je viens d'engager contre lui une action judiciaire en diffamation. Cette enfant a été kidnappée par son voyou de frère, le tristement célèbre Cal Ormond. La police ne manquera pas de l'inculper de ce crime dès qu'elle l'aura arrêté.

Boris s'est tourné vers nous.

– Un employé malveillant ?

– Kevin l'aurait dénoncée ? s'est étonnée Winter. Quelle mouche l'a piqué ? Il a envie de se faire décapiter ? Regardez-la ! Elle est tellement furax que sa figure vire au violet, la couleur de son rouge à lèvres !

Je n'en revenais pas.

– Kevin lui en veut tant que ça ? Il serait prêt à tout pour se venger ?

Boris s'est levé.

– Désolé d'interrompre les réjouissances, mais je dois partir. Cal, je t'apporterai un appareil photo numérique. On se retrouve devant les bureaux de Bones, après le lycée.

– Super, merci. Moi aussi, je m'en vais. Je prends le premier tour de surveillance.

Winter a extrait un petit appareil photo d'un tiroir de sa commode et me l'a tendu :

– Utilise le mien en attendant.

Pacific Tower

12:09

Depuis le matin, je faisais le guet devant l'immeuble qui abritait l'étude de Bones. Je ne me sentais pas à l'aise en pleine ville, même si j'avais modifié mon allure dans l'espoir de passer inaperçu.

Je m'étais muni d'une planchette à pince et d'un paquet, histoire de pouvoir pénétrer dans le bâtiment en jouant les coursiers.

Bones était arrivé aux alentours de huit heures et demie et n'avait pas réapparu.

13:11

Juste au moment où je pénétrais dans le hall de l'immeuble, le notaire est sorti de l'ascenseur. J'ai aussitôt tourné la tête et fait semblant de consulter la liste des sociétés affichée au mur. Elle indiquait : « Bones & Associés, cinquième étage ». J'ai regardé par-dessus mon épaule : il franchissait les portes d'un café.

Peu après, il est revenu, un sac en papier à la main, et a disparu dans l'ascenseur.

Manifestement, il déjeunerait dans son bureau.

16:33

Boris est enfin arrivé sur son vélo.

– Alors ? Ça se présente comment ? a-t-il lancé en retirant son casque.

– C'est d'un ennui mortel. Rien d'excitant à se mettre sous la dent.

– Je viens te relayer. Il faut que tu te volatilises avant cinq heures. Moins on te verra, mieux ce sera. Ne t'inquiète pas, je reconnaîtrai

Bones et je sais qu'il conduit une Audi rouge. Dès qu'il sort, je le suis jusque chez lui. Je t'envoie son adresse le plus vite possible.

– Et après, tu retournes peaufiner l'empreinte d'Oriana de Witt !

– OK, boss !

12 Lesley Street

18:55

🛜 AdrS DB : 87 Chesterfield Av, Seaview Heights. J rentre ché moi.

Winter m'a conseillé de me rendre chez Bones en taxi et proposé de m'accompagner. J'étais content d'utiliser une partie de l'argent des pépites. Après m'avoir soumis à une séance de relooking d'une vingtaine de minutes, elle a paru satisfaite du résultat. Nous avons alors filé à la station de taxis la plus proche et sauté dans une voiture.

Le chauffeur nous a déposés à plusieurs pâtés de maisons de notre destination réelle. Nous préférions finir la route à pied.

Maison de Drake Bones
87 Chesterfield Avenue
Seaview Heights

21:06

C'était une villa grise et blanche, entourée de vastes pelouses. Une haie basse, taillée au cordeau, séparait le jardin de la rue. Un sentier conduisait à la porte d'entrée, et une longue allée au garage triple. Attenant au garage, un chemin pavé menait à l'arrière du bâtiment.

Le calme régnait. En jetant un coup d'œil prudent sur le côté de la maison, nous avons aperçu l'extrémité d'une terrasse dallée – dans le genre de celle de Ralf. Il nous a semblé distinguer un petit potager au fond du jardin.

Toutes les pièces étaient plongées dans l'obscurité. Aucune lumière ne filtrait des fenêtres. Apparemment, l'occupant de la villa dormait.

La planque
38 St Johns Street

23:21

Nous sommes revenus à pied. Une fois devant l'immeuble de Winter, j'ai décidé de continuer jusqu'à St Johns Street. Sligo avait parlé de

« passer un moment privilégié » avec elle au cours du week-end; je préférais donc ne pas courir le risque de loger au studio en attendant que le truand pointe sa face bouffie à la porte et me découvre sur le canapé de sa protégée.

J'ai réintégré mon taudis avec une sensation intense de déjà-vu. Trop agité pour trouver le sommeil sur le plancher qui grinçait, je ne cessais de repasser dans ma tête le film de tous les événements qui s'étaient succédé depuis ma rencontre avec le fou, le jour de la Saint-Sylvestre. Le compte à rebours des 365 jours filait à toute allure. J'avais tenu le coup jusque-là, mais il me restait tant à entreprendre.

Je songeais à ceux qui m'avaient porté secours – Jennifer Smith, Melba Snipe, Nelson Sharkey... et à ceux qui, je l'espérais, m'aideraient à l'avenir – Erik Blair et le conservateur des livres rares, le professeur Theophile Brinsley.

Et bien sûr, impossible de chasser de mes pensées celui qui me ressemblait comme un jumeau : Ryan Spencer.

11 octobre
J –82

20:09

Boris, Winter et moi nous étions relayés pour surveiller la villa de Drake Bones pendant le week-end. Aucun de nous n'avait trouvé matière à faire chanter le notaire – hormis la séquence filmée où on le voyait récupérer son journal du matin en caleçon.

Il fallait absolument que cette semaine nous offre la découverte capitale tant espérée, mais la journée qui venait de s'écouler n'avait rien apporté de nouveau. J'étais demeuré assis face à la Pacific Tower à observer l'entrée tout en grattant machinalement la peinture noire de mon téléphone portable.

J'avais maintenant réintégré mon poste d'observation sur Chesterfield Avenue – caché derrière un buisson, le vélo de Boris à la main.

L'Audi rouge était garée dans l'allée. Une lumière brillait au premier étage.

Soudain, un bruit de pas sur le trottoir a détourné mon attention. C'était Winter.

– Salut, a-t-elle chuchoté en s'accroupissant. J'avais besoin de faire une pause dans mes révisions. Je me suis dit que je pourrais te tenir compagnie…

Elle s'est interrompue, les yeux braqués sur le perron.

Bones, en costume, une mallette noire à la main, sortait de chez lui. Il s'est dirigé vers l'Audi rouge dont les portières se sont déverrouillées avec un bip, il s'est installé au volant puis a démarré.

J'ai saisi Winter par le bras.

– Vite! En selle!

Restaurant français Le Molière

20:32

À travers les fenêtres ornées de vigne vierge d'un établissement de luxe, nous avons vu Bones s'attabler dans un angle en compagnie d'un homme en costume noir.

– Il n'a pas la même mallette que d'habitude, a murmuré Winter.

– Tu as raison.

Nous avons échangé un bref regard. Elle a ajouté :

– S'il y a du changement, c'est peut-être bon signe.

J'ai saisi l'appareil numérique que Boris m'avait donné pendant le week-end.

Après m'être assuré que le flash ne se déclencherait pas et que personne ne m'observait, j'ai appuyé l'objectif contre la vitre pour prendre une photo.

Je l'ai contrôlée sur l'écran. Elle n'était pas géniale : au premier plan, un couple masquait la vue. Pourtant, au fond, on distinguait Drake Bones, son interlocuteur et, sous la table, la mallette noire.

En zoomant, un détail a aussitôt attiré mon attention.

– Tu as vu, Winter ? L'autre type a presque la même mallette à ses pieds.

Elle s'est penchée sur l'écran et a plissé ses yeux noirs en amande puis soudain m'a arraché l'appareil.

– Mais c'est la mallette que portait Bones en entrant !

– Quoi ?

Je lui ai repris l'appareil photo pour en avoir le cœur net.

– Tu crois qu'ils les ont échangées ?

– Je jurerais que Bones est sorti de chez lui avec la mallette qui se trouve en ce moment aux pieds de l'autre type. Elle est plus carrée qu'une mallette ordinaire. Enfin, je peux me tromper…

– Non, je crois que tu as raison!

87 Chesterfield Avenue
Seaview Heights

22:41

Bones est remonté en voiture, avec la mallette de l'homme au costume noir, puis il est rentré chez lui. Autour de nous, la nuit était paisible et silencieuse. Nous n'entendions rien, hormis un ou deux opossums qui couraient dans les arbres au-dessus de nos têtes.

Je me suis tourné vers Winter.

– Qu'est-ce qu'on fait? La mallette ne nous sert à rien tant qu'on ignore ce qu'elle contient.

– Tu envisages de t'introduire chez Bones par effraction? s'est-elle inquiétée.

Déjà le notaire émergeait à nouveau de sa maison, une lampe à pétrole dans une main, une pelle dans l'autre. Ses yeux ont scruté le jardin avec méfiance, signe qu'il n'avait pas la conscience tranquille. Ensuite il a appuyé la pelle contre le mur et disparu à l'intérieur de la villa.

Winter et moi avons échangé un sourire complice, impatients d'assister à la suite.

Lorsque Bones est ressorti quelques minutes plus tard avec la mallette noire, il a allumé la lampe et récupéré la pelle avant de contourner la bâtisse.

– Tu voulais quelque chose à te mettre sous la dent, tu vas être servi, on dirait ! a chuchoté Winter.

Nous avons enjambé la haie basse pour pénétrer chez Bones puis, à pas de loup, nous avons longé le bâtiment pour le suivre. Il se dirigeait tout droit vers le potager que nous avions aperçu depuis la rue et où poussaient quelques choux plantés sur trois rangs impeccables, à côté d'un petit monticule de terre.

La lampe posée au sol projetait un halo autour du notaire qui a retroussé ses manches avant d'empoigner la pelle pour creuser.

Blottis derrière la vasque d'une fontaine dans un coin du jardin, nous l'observions attentivement.

– Il compte enterrer quelqu'un, ma parole, ai-je plaisanté tandis que les sons étouffés de la pelle contre la terre se succédaient.

Winter m'a jeté un regard lourd de sous-entendus, comme pour m'indiquer que j'avais peut-être raison. J'ai frissonné en me remémorant mon « enterrement », la nuit où Bones m'avait piégé.

Le bruit s'est brusquement interrompu. Le notaire avait-il senti notre présence ? Aussi immobiles que des statues, nous attendions sans oser remuer un cil.

Au bout d'un moment, j'ai risqué un œil par-dessus la vasque de la fontaine. Accroupi, jambes écartées, les deux bras plongés dans le trou qu'il venait de creuser, le notaire grognait comme s'il soulevait un objet très lourd.

Enfin, après d'interminables efforts, il s'est redressé. Ses mains tenaient un coffre en bois de la taille d'une glacière.

Un trésor enterré ?

Fascinés, nous ne le quittions pas des yeux. J'ai retenu mon souffle quand il s'est traîné jusqu'à la mallette noire. Après avoir examiné sa main gauche, il a fait rouler sous ses pouces les mollettes des serrures jumelles – le code devait être noté sur sa paume. La mallette s'est ouverte. Il a entrepris de transférer son contenu dans le coffre.

– Des billets ! a murmuré Winter. Des liasses de billets ! Des milliers et des milliers de dollars !

– Pourquoi les enterrer dans son jardin ?

– Pour dissimuler leur existence. Pour frauder les impôts. Et Bones ne veut surtout pas qu'on sache comment cet argent a atterri entre ses mains !

Sans bruit, j'ai sorti mon appareil photo. Winter a pris le sien dans son sac en bandoulière.

– N'oublie pas de supprimer le flash, lui ai-je rappelé.

– On va en avoir besoin, Cal, il fait trop sombre.

Elle avait raison.

– OK. Alors je compte jusqu'à trois, on le photographie et on détale. Ça marche ?

– Ça marche !

J'ai zoomé au maximum et commencé :

– Un...

Sur mon écran, la silhouette du notaire se penchait pour placer la toute dernière liasse de billets dans le coffre.

– Deux... trois !

Dès que les flashs ont déchiré la nuit, le deuxième avec un léger retard sur le premier, nous avons traversé le jardin comme des flèches et franchi la haie d'un bond. J'ai arraché le vélo de Boris du buisson où je l'avais caché et sauté en selle. Winter s'est perchée sur le guidon.

– Fonce ! a-t-elle crié.

J'ai pédalé de toutes mes forces et dévalé la rue à une vitesse hallucinante. Agrippée aux poignées, les cheveux au vent, Winter a risqué un dangereux mouvement de torsion pour m'adresser un sourire victorieux.

12 octobre
J –81

00:15

De retour chez Winter, j'ai envoyé un texto à Boris :

📱 On a Pcho Bones. Énorm! M1tnt ché W.

Puis nous avons examiné les photos.

Sur la mienne, Bones se penchait au-dessus du coffre. Une fois l'image agrandie, on voyait parfaitement qu'il manipulait une épaisse liasse de billets de cinquante dollars.

Sur celle de Winter, prise une seconde après, Bones levait vers nous, dans la lumière vive et soudaine du flash, un visage épuisé, blafard, choqué.

En zoomant, il devenait évident que le coffre en bois couvert de terre regorgeait de billets de banque.

– On le tient! On le tient! avons-nous hurlé en nous étreignant.

Nous avons dansé de joie à travers le studio jusqu'à heurter le canapé sur lequel nous nous sommes effondrés. Winter est tombée sur moi puis s'est relevée, un peu gênée.

Elle a embrassé son appareil photo. Nous savions, l'un comme l'autre, que ces clichés nous permettraient sans doute de récupérer le testament de Piers Ormond.

Mon portable a vibré : Boris me répondait.

📱 Koi?! Tro At 2 savoir. J paSS avt dalé o lyC.

08:01

– La vache! Incroyable! Vous l'avez pris la main dans le sac. Vous avez idée d'où peut venir tout ce fric?

– Probablement d'une vieille dame trop naïve qu'il a escroquée, ai-je suggéré en imaginant celle-ci sous les traits de Melba Snipe. Peu importe : il cache un coffre bourré de billets dans son jardin. De l'argent sale, forcément. Les gens honnêtes déposent le leur à la banque.

Boris a sorti son ordinateur.

– Eh bien, montrons-lui tout de suite une première photo – celle où on voit sa trombine –, histoire de lui flanquer la trouille. J'ai enregistré son adresse mail le jour où il a écrit un message sur ton blog, en juillet. Pour éviter qu'il sache qui la lui envoie, j'utiliserai un de mes comptes anonymes de messagerie. Winter, tu as le câble USB de ton appareil ?

Winter a fouillé dans le tiroir de son bureau.

– Tiens, le voilà.

– D'accord, on garde l'anonymat pour l'instant, ai-je approuvé. À mon avis, Bones n'a pas identifié l'intrus qui se cachait dans son jardin hier soir. Il doit flipper à mort.

Boris a chargé la photo sur son ordinateur pour l'expédier au notaire.

– C'est parti !

– Génial ! Laissons-le mariner vingt-quatre heures. Je lui téléphonerai demain.

13 octobre
J –80

La planque
38 St Johns Street

09:40

― Drake Bones, a annoncé le notaire en décrochant.

J'ai pris une voix grave et assurée à la Nelson Sharkey :

― Vous avez reçu une photo compromettante, je crois.

Silence.

J'ai entendu une porte claquer, probablement celle de son bureau. Il s'assurait que personne ne surprendrait notre conversation.

― Qui êtes-vous ? Que voulez-vous ?

Sans doute souhaitait-il se montrer menaçant, mais la peur altérait sa voix.

– Peu importe qui je suis. Sachez que ce cliché, et d'autres du même genre, pourraient être remis à la Chambre des notaires, à la police et à la presse. Tout le monde se demandera où Drake Bones, le célèbre notaire, s'est procuré cette mallette de dollars, et pourquoi il enterre le magot dans son jardin en pleine nuit.

Paniqué, mon interlocuteur a lâché :

– Vous exigez de l'argent ? Combien ?

– Je me moque de votre argent.

– Qu'attendez-vous de moi alors ?

– Une chose que vous m'aviez promise : le testament de Piers Ormond.

– Je vois, a-t-il grincé. Cal Ormond…

– Donnez-moi ce testament et je ne divulguerai pas les photos.

– Qu'est-ce qui me prouve que vous ne poursuivrez pas votre chantage après ?

– Rien ! Mon offre est à prendre ou à laisser.

Il soufflait dans le téléphone comme un taureau prêt à charger. Cependant, il n'avait pas le choix. Il se savait acculé.

– Maître Bones, cette fois la rencontre aura lieu sur mon territoire selon *mes* conditions. J'ai déjà préparé un mail contenant vos photos à l'intention de différents organes de presse. Il est prêt à partir. Si vous ne faites pas exactement ce que je vous dis, vous serez à la une dans quelques heures.

– Quand voulez-vous qu'on se rencontre ? a-t-il murmuré.

– Ce soir.

– Ce soir ? Mais, c'est impossible ! Je...

– Ce soir, ai-je répété d'une voix ferme.

À l'autre bout de la ligne, Bones a poussé un profond soupir avant de demander :

– Où ?

J'avais trouvé le lieu idéal. Un endroit où je me sentirais à l'aise, où je surveillerais facilement son arrivée et où Boris et Winter pourraient monter la garde.

Cimetière de Crokwood

21:00

Sans surprise, Boris avait la frousse. Il se tortillait sur place en s'efforçant de cacher sa nervosité tandis que Winter, assise sur un muret en marbre, balançait les jambes en se tressant les cheveux. Nous nous étions donné rendez-vous devant le caveau des Ormond.

– Alors, quel est ton plan ? a-t-elle lancé.

– Bones a accepté de me rejoindre ici à onze heures pile. J'ai pensé qu'il valait mieux arriver les premiers, afin de s'assurer qu'il ne s'aventurerait pas à nous tendre un piège. Je l'attendrai ici, devant le caveau. Je lui ai indiqué le chemin.

En me tournant vers la porte, j'ai remarqué que la serrure avait été changée.

– Je me posterai à l'extérieur du cimetière, a proposé Boris. Près de l'entrée. Je vérifierai que personne ne pointe son nez – pas de renfort, et surtout pas de flics. Dès que je le repère, je te préviens.

Avec un petit sourire penaud, il a ajouté :

– Comme ça, au moins, je ne resterai pas au milieu de ces tombes... Elles me flanquent la chair de poule !

Winter a gloussé. Malgré l'obscurité, j'aurais parié que Boris avait rougi.

– Moi, je me cacherai là-bas, a-t-elle déclaré en désignant l'allée centrale qui conduisait aux grilles.

– Parfait, ai-je approuvé. Il lui faudra bien cinq minutes pour atteindre le caveau.

Des gardiens effectuant leur ronde nous ont brusquement obligés à plonger derrière des statues et des pierres tombales.

L'alerte passée, nous sommes sortis de nos cachettes. En voyant Boris se contorsionner et se frotter frénétiquement comme s'il était couvert de toiles d'araignée, Winter et moi avons éclaté de rire.

22:51

Chacun, à son poste, guettait Bones. Au-dessus de ma tête, sur le linteau de la porte en fer, les lettres dorées et ternies de mon nom, Ormond, se distinguaient à peine dans la nuit.

Malgré le silence lugubre qui m'entourait, les statues d'anges vandalisées, les colonnes brisées qui se dressaient au-dessus des tombes comme des glaives menaçants, je n'éprouvais aucune crainte. J'étais tellement habitué à vivre dans l'obscurité que je me sentais presque chez moi dans cet endroit où mes recherches avaient débuté, avec la découverte des dessins de mon père à l'intérieur du caveau familial.

Soudain, un léger bruit de moteur venu de la route qui longeait le cimetière m'a alerté. Sûrement la voiture de Bones.

Aussitôt, Boris m'a envoyé un texto :

📱 Le votour approch. Seul.

Un message de Winter a suivi :

📱 DB ds alé. A 1 lamp. A l'R o6 Frayé q Boris :-)

Le gravier a crissé sous les pas prudents du notaire. Je jubilais. J'espérais que, dans ce lieu solennel, sa mauvaise conscience le torturait. Derrière moi, à l'intérieur du caveau, reposaient mes ancêtres.

Calme, déterminé, ma lampe torche à la main, je me suis adossé au mur en haut des marches, convaincu à cet instant que, dans mes veines, coulait la bravoure de Piers Ormond.

Au bout de l'allée, un mince faisceau lumineux a soudain percé l'obscurité, puis, de l'ombre, s'est détachée la silhouette voûtée du notaire qui avançait d'une démarche hésitante en éclairant les tombes en quête du caveau de ma famille.

Dès qu'il l'a repéré, il s'est approché avec précaution pour s'arrêter à un mètre des marches. Afin de l'effrayer, j'ai surgi brusquement au-dessus de lui. Effet réussi : il a reculé d'un bond avec un hoquet de terreur.

– Maître Bones, l'ai-je salué.

Il s'est ressaisi. Ma lampe braquée sur lui a révélé un homme au visage marqué de cernes sombres, où se lisaient l'angoisse et la peur. Il a battu des paupières avant de s'abriter les yeux derrière sa main.

– Vous avez le testament ?

Bones s'est raclé la gorge.

– Et vous les photos ?

– Le testament d'abord.

Bones a coincé sa torche sous son bras puis sorti de sa veste une liasse de papiers.

– Le voilà.

J'ai éclairé la première page. Une main y avait tracé d'une écriture démodée : *Dernières volontés de PIERS ORMOND, 17ᵉ Bataillon de la Force impériale australienne. 15 septembre 1914.*

76

Enfin, je le tenais! Le testament que je cherchais depuis si longtemps.

J'ai reculé pour le ranger à l'abri dans mon sac à dos.

– Les photos? a insisté Bones.

J'ai secoué la tête.

– La dernière fois que vous m'avez promis ce document, j'ai failli perdre la vie.

– Vous plaisantez? s'est-il exclamé, apparemment déconcerté.

Puis il s'est redressé.

– Vous ne me croyez quand même pas mêlé à cette tentative d'assassinat?

– C'est vous qui avez fixé le lieu du rendez-vous : l'entreprise de pompes funèbres de votre frère, lui ai-je rappelé. Je suis venu, comme vous me l'aviez demandé...

– Je n'y suis pour rien si les choses ont mal tourné, m'a-t-il coupé. Jurez-moi de détruire les fichiers de ces photos! Le testament est entre vos mains désormais...

Le cri d'un oiseau de nuit l'a fait sursauter.

– Vous ne reverrez plus les photos, maître Bones. Personne ne les verra... tant que vous me laisserez tranquille.

À ces mots, les épaules du notaire ont paru se détendre : il pouvait encore sauver sa réputation, après tout. Il a secoué la tête puis tourné les talons.

Mais au bout de quelques mètres, il s'est arrêté pour me lancer :

– Vous ignorez à quoi vous vous attaquez, mon garçon. Vous n'êtes qu'un gamin seul au monde. Ma cliente est riche et puissante, elle. Que pensez-vous obtenir avec ce testament ?

– Ça ne vous regarde pas.

Qu'Oriana de Witt se sente un droit sur la propriété des autres, sous prétexte qu'elle possédait fortune et relations, me révoltait.

– Je vous avertis dans votre intérêt, a poursuivi Bones. Toute cette histoire vous dépasse de très loin. Quoi que vous entrepreniez, vous ne vous en sortirez jamais.

– Je vous remercie de votre sollicitude. Je veux simplement découvrir la vérité.

Je l'ai entendu renifler de mépris.

– La vérité ! Peuh… C'est un leurre. Il n'existe que des opportunités et le moment propice de les saisir.

– Mon père m'a enseigné d'autres valeurs. La vérité finira par éclater au grand jour.

– Votre père est mort. Pourquoi ne pas abandonner ce combat et laisser la Singularité Ormond à ceux qui sont de taille à s'y atteler ? Retirez-vous de la course et vous n'aurez plus d'ennuis.

Il s'est rapproché d'un pas avant d'ajouter sur un ton plus conciliant :

– Je pourrais vous faciliter cette décision. En finançant par exemple votre disparition, votre changement d'identité…

– Vous plaisantez ? Je refuse. Et à moins que votre cliente soit un homme et l'aîné de la dernière génération d'une famille très précise, elle n'a aucun droit sur la Singularité Ormond.

– Vous êtes bien placé pour parler de droit ! a ricané Bones. Vous n'êtes qu'un misérable fugitif. Un pitoyable criminel en cavale. Vous ne comprenez donc rien ? Vous n'avez aucun droit ! En revanche, il vous reste une chance de sauver votre peau. Promettez-moi que vous renoncez à la quête insensée que vous menez et je transmettrai le message à ma cliente. Vous tenez à la vie, non ?

J'ai sauté sur la marche inférieure de l'escalier du caveau. Méfiant, Bones a reculé.

– La vérité est beaucoup plus puissante que l'argent et la violence. Elle seule constitue le véritable pouvoir. Découvrir la vérité sur la Singularité Ormond est la mission qui m'a été confiée par mon père. Pas question que j'abandonne ! Dites-le à Oriana de Witt.

Le notaire n'a pas réagi.

– Allez-vous-en ! ai-je crié.

Il restait immobile à me dévisager.

– Jeune imbécile, a-t-il grommelé entre ses dents avant de tourner les talons et de s'éloigner.

Au bout de l'allée, il m'a lancé cet avertissement :

– La prochaine fois, ils ne vous rateront pas.

14 octobre
J –79

12 Lesley Street

01:20

Assis en silence, mes amis me regardaient parcourir des yeux le testament de Piers Ormond. J'ai sauté plusieurs passages rédigés dans un langage archaïque énumérant de multiples dispositions concernant des bijoux et biens à léguer, ou l'attribution d'une jument alezane à un contremaître. Je cherchais avec impatience une clause susceptible de m'intéresser.

– Ah, enfin, il est question de la Singularité Ormond.

– Lis à haute voix ! m'a pressé Winter.

– « *Clause VII : Je lègue au dit enfant ainsi identifié par mes représentants légaux les bénéfices de la Singularité Ormond sous réserve qu'à la date de ma mort je n'aie pas outrepassé les limites de ces bénéfices.*

J'ordonne à mes représentants légaux de faire savoir à ce bénéficiaire qu'il lui échoit de revendiquer ledit don seulement s'il accepte de respecter ces mêmes conditions auparavant imposées à ma personne.

Quiconque succédera à la Singularité Ormond devra léguer ladite Singularité Ormond à l'aîné de la génération suivante porteur du nom Ormond sans dépasser la date incluse du 31 décembre de l'année à double éclipse solaire au-delà de laquelle la Singularité deviendra nulle et non avenue. »
Au secours, quelqu'un peut traduire ?

– On est dans une année à double éclipse solaire ! s'est exclamé Boris. C'est un phénomène extrêmement rare. Mec, tout indique qu'il s'agit précisément de cette année !

– Le fou que tu as rencontré la veille du jour de l'an dans la rue avait raison, a renchéri Winter. Le décompte prend fin le 31 décembre prochain.

Et elle s'est agenouillée sur sa chaise pour lire à son tour le testament.

– La Singularité Ormond est transmissible par testament au même titre qu'un bien matériel, a-t-elle conclu.

– Exactement, a acquiescé Boris. Et si la personne qui en hérite est dans l'impossibilité de réclamer son dû – incapable de découvrir à temps ce que recouvre cette mystérieuse Singularité –, elle doit la léguer à l'aîné des garçons de la génération suivante.

– Tout comme l'indiquait l'arbre généalogique, ai-je ajouté. Puisque aucun de mes prédécesseurs n'a réussi, c'est maintenant à mon tour de la décrypter. J'ai jusqu'au 31 décembre pour résoudre le mystère. Et après ? Que se passera-t-il lorsque l'année sera finie ?

– Tiens, lis la suite, m'a conseillé Winter.

– « *Clause VIII : J'ordonne en outre à mon exécuteur testamentaire d'informer ledit bénéficiaire de la Singularité Ormond que s'il advient qu'aucun requérant de ladite Singularité Ormond ne se présente au douzième coup de minuit le 31 décembre de l'année de la double éclipse solaire, les avantages en terres et titres de propriété, droits, lettres de noblesse, dons, trésors et objets divers, où qu'ils soient et quels qu'ils soient, retourneront dans leur intégralité à la Couronne en la personne du roi George V ou de ses descendants comme ordonné par le monarque dans le codicille 15-59 complétant le "De Donis Conditionalibus" (Westminster 1285).*

Piers Ormond, le 15 septembre 1914. »

Frustré, je me suis levé et j'ai commencé à faire les cent pas.

– On ne sait toujours pas ce que signifie la Singularité Ormond ! Ni ce qu'elle cache ! Et si on se donnait tout ce mal pour tomber, au bout du compte, sur un quelconque document sans valeur ?

– Ne sois pas si impatient, m'a reproché Winter. Un testament parle forcément de biens.

Elle a marqué une pause puis repris d'une voix mal assurée :

– Mes parents ont légué tous leurs biens, leurs propriétés ainsi que la plus grande partie de leur argent à Vulkan Sligo. Sous réserve qu'il s'occupe de moi.

– Elle a raison, Cal. Le testament mentionne des « terres et titres de propriété, droits, lettres de noblesse, dons, trésors et objets divers ». Et souviens-toi : dans sa lettre, ton père te conseillait de te préparer à l'idée de devenir riche.

J'ai acquiescé.

– Mais il ne nous reste que deux mois et demi pour percer le mystère. Sinon, on perd tout en faveur de la Couronne. C'est notre dernière chance de conserver les bénéfices de la Singularité Ormond dans la famille. Nous devons impérativement récupérer le Joyau et l'Énigme pour progresser.

J'ai ajouté en jetant un regard plein d'espoir à Boris :

– Il faut qu'on pénètre dans la salle des coffres de la Zürich Bank.

– L'empreinte est presque prête, m'a-t-il assuré en bâillant. Accorde-moi deux jours supplémentaires.

17 octobre
J −76

Zürich Bank

15:24

Certains que Drake Bones ne nous mettrait plus de bâtons dans les roues, nous concentrions désormais toute notre énergie sur Oriana de Witt et le raid à la Zürich Bank.

Boris m'avait téléphoné le matin même pour m'annoncer qu'il avait finalisé l'empreinte. Excellente nouvelle, sauf que nous ne pouvions pas l'utiliser avant d'avoir élaboré une stratégie pour pénétrer dans la banque puis la quitter sans encombre. Il nous manquait aussi un élément capital : le code secret du coffre-fort de l'avocate.

Winter et moi nous étions relayés pour surveiller l'établissement. La veille, elle avait étudié les allées et venues des clients et noté, dès que l'un d'eux accédait à la salle des coffres, la durée de son passage devant le scanner.

J'étais en planque quand j'ai vu la Mercedes bleu foncé d'Oriana de Witt s'arrêter. L'avocate s'est extirpée du siège passager. Une fois sur le trottoir, elle a rajusté sa veste blanche et lissé sa jupe. Avec son abondante chevelure rousse relevée en chignon sur le sommet de sa tête et ses lunettes de soleil violettes, elle offrait une apparence insolite mais impeccable.

Cyril alias Sumo, avec sa silhouette massive et ses cheveux en brosse, s'est empressé de l'escorter. Ils ont gravi les marches de la Zürich Bank et franchi ensemble les portes automatiques.

Sans perdre une seconde, j'ai verrouillé l'antivol du vélo, traversé la rue et pénétré à mon tour dans la banque, la tête tournée sur le côté pour échapper aux caméras. Ensuite, tout en faisant semblant de m'intéresser aux brochures sur les comptes pour étudiants, j'ai sorti mon portable, actionné le mode vidéo et filmé Oriana de Witt, sa démarche, ses gestes.

Elle s'est dirigée sans hésiter vers le scanner biométrique pour presser son index sur la petite vitre. Les deux épaisses portes en acier s'écartaient à peine qu'elle se glissait déjà dans l'ouverture.

Deux minutes plus tard, l'avocate et son garde du corps réapparaissaient dans le hall en compagnie d'un employé.

La voix d'Oriana de Witt était si forte et si perçante qu'elle attirait l'attention générale.

J'ai rangé à la hâte mon portable puis filé récupérer mon vélo. En un éclair, j'ai ôté l'antivol et sauté en selle. Je pédalais vers l'angle de la rue tout en me débattant avec mon casque que je n'arrivais pas à attacher quand j'ai heurté un piéton.

Nous sommes tombés par terre – moi, le vélo et le piéton. Les trois boîtes en carton que portait celui-ci se sont ouvertes et leur contenu s'est répandu autour de nous.

Une fois mes pieds dégagés des pédales, je me suis empressé de ramasser les magazines, boutons et porte-clés qui jonchaient la chaussée.

– Excusez-moi, monsieur, je ne vous avais pas vu.

– Toi ! a-t-il gémi. J'étais sûr de te recroiser un jour ou l'autre. Comme si tu n'avais pas déjà semé assez la pagaille dans ma vie !

Je reconnaissais cette voix ! J'ai levé la tête : des jambes maigres, des mains osseuses dépassant des manches trop courtes d'une veste verte, deux gros yeux d'opossum…

– Dep ! me suis-je exclamé, médusé. Je suis vraiment désolé.

J'ai vite rassemblé le reste des objets éparpillés pour les remettre dans leur boîte.

– Je croyais être débarrassé de toi, et voilà que tu surgis de nouveau à l'improviste ! Viens, dépêche-toi.

Il a empilé deux cartons sur le guidon de mon vélo et m'a traîné jusqu'au carrefour, puis dans une ruelle proche.

– Comment allez-vous? me suis-je enquis timidement. Où habitez-vous à présent?

Il a secoué la tête et poussé un énorme soupir avant de déclarer, l'air résigné :

– Suis-moi.

Entrepôt désaffecté

17:10

Dep logeait désormais dans une sorte de hangar abandonné qui n'avait rien d'idéal. D'abord, parce qu'il était impossible d'en camoufler la porte d'entrée; ensuite, parce que le toit et les murs étaient criblés de trous. J'ai remarqué la photo de sa mère suspendue à un clou. Son demi-sourire m'a soudain paru étrangement familier.

– Vous ne pouvez pas rester ici, ai-je décrété. Ce toit est une véritable passoire. À la moindre averse, tous vos journaux et magazines se transformeront en papier mâché.

– Ne t'inquiète pas. Il s'agit d'un abri provisoire. Il m'a fallu un temps fou pour dégager le tunnel de mon ancien repaire et rapatrier mes affaires. J'ai un autre endroit en vue.

Les mains sur les hanches, il a observé la pièce.

– Un peu d'aide pour mon déménagement serait bienvenu. Justement, ce matin, au milieu de tout ce fatras, je me demandais comment transporter mes collections dans ma nouvelle demeure. Et voilà que tu tombes du ciel! C'est drôle, non?

J'ai souri. Si seulement, de son côté, il pouvait m'aider à résoudre mes problèmes!

– Entre les bleus et les sales types qui ont saccagé ma planque, a-t-il continué, j'ai intérêt à emménager de nuit dans ma caverne.

Il m'a dévisagé d'un air interrogateur.

J'étais conscient d'avoir une dette envers lui.

– Bien sûr que je vais vous donner un coup de main.

La « caverne »? Voilà qui m'intriguait.

Sous terre

20:10

Nous avons attendu que vienne la nuit, comme Dep le souhaitait, pour descendre par un puits désaffecté. Je l'ai suivi avec une puissante lampe torche, en trimballant les boîtes de sa collection tout le long d'un chemin presque impraticable.

Finalement, nous nous sommes arrêtés dans une grande salle au plafond bas. Au-delà des faisceaux de nos lampes, l'obscurité était totale, plus noire que la nuit la plus noire. Je n'avais aucune idée de ce qu'elle recelait. Je n'ai pas eu le temps de m'interroger car à peine les cartons déposés, Dep s'est essuyé les mains puis nous sommes repartis en chercher d'autres.

J'ignore le nombre de voyages exténuants qu'il nous a fallu faire pour évacuer du hangar toutes ses possessions, ses bibliothèques démantelées, ses œuvres d'art, la quantité invraisemblable d'objets les plus divers accumulés au fil des ans...

22:12

Lorsque les tout derniers cartons ont rejoint le reste de la collection désormais à l'abri sous terre, Dep a posé sa lampe torche et s'est assis sur une caisse. Épuisé, content que notre travail soit terminé, je l'ai rejoint.

Nous avons distingué, à travers les parois rocheuses, le grondement lointain d'un train. L'air froid m'a fait frissonner.

Lorsque le bruit s'est évanoui, un autre m'est parvenu : ploc, ploc, ploc... De l'eau gouttait.

J'ai ramassé ma torche pour éclairer le fond du tunnel. Qu'y avait-il là-bas ? D'autres tunnels ? Un dédale de salles plus petites ? Cet endroit avait beau être plus tranquille que le hangar, j'imaginais mal Dep s'installer dans une caverne si vaste et si humide.

Dep a poussé sa lampe vers moi.

– Prends-la, m'a-t-il conseillé. Tu pourras jeter un œil à l'étape suivante du boulot.

– Pardon ?

– La nuit ne fait que commencer. On a accompli la moitié du chemin.

– La moitié du chemin ?

J'ai failli m'étrangler de surprise. Ce type était fou ! Il avait l'intention de descendre au centre de la terre ou quoi ?

Muni des deux lampes, je me suis avancé dans les ténèbres. Et soudain j'ai stoppé net, abasourdi par le spectacle que je découvrais.

– Mince alors ! ai-je lâché.

Derrière moi, Dep a gloussé.

– Tu ne te doutais pas que tu naviguerais ce soir, hein ?

Bouche bée, je contemplais un lac souterrain immense dont la surface noire ondulait sous la lumière. Des gouttes tombaient lentement des stalactites du plafond dans l'eau calme, qui se ridait à leur contact. À ma droite, quelques mètres plus loin, une barque se balançait près de la rive.

– Allez. Ne reste pas planté comme un poireau. Donne-moi un coup de main pour charger la chaloupe.

Nous avons empilé des cartons et des caisses dans la barque jusqu'à ce que la proue s'enfonce presque sous la surface. Dep est monté à bord le premier tandis que je stabilisais l'embarcation. J'ai sauté à mon tour, utilisé une rame pour nous éloigner du bord, puis empoigné l'autre. Guidé par l'étroit faisceau de la lampe que Dep braquait devant lui, je n'ai pas tardé à adopter une cadence régulière. La barque a fendu en silence les flots noirs et insondables.

– À vos ordres, capitaine. Où va-t-on ? ai-je demandé.

– Droit devant. De l'autre côté du lac. Je te préviendrai avant d'aborder la rive.

Il s'est tourné vers moi. Surprenant mon regard émerveillé, il m'a adressé un sourire.

– Le paysage te plaît ?

– C'est fantastique. J'avais entendu parler d'un lac sous la ville, mais je ne pensais pas qu'il existait réellement !

La caverne de Dep

Dep a tenu à ce que toutes ses affaires soient débarquées avant de me laisser visiter son repaire. Nous avons dû effectuer cinq allers et retours. À la fin, j'étais trempé de la tête aux pieds, mes bras endoloris me faisaient souffrir. Pourtant, je mourais d'impatience de découvrir où il habitait.

– J'aménage ce site depuis un moment, a-t-il expliqué en suspendant sa lampe. J'ai déjà récupéré des gaines pour amener les câbles électriques jusqu'ici. Dans deux ou trois jours, j'aurai du courant. Là-bas, il y a un égout. J'installerai ma salle de bains au-dessus et j'ajouterai mes canalisations. Ni vu ni connu.

Nous nous trouvions dans un cul-de-sac dont probablement personne ne soupçonnait l'existence. J'ai contemplé le décor étrange qui nous entourait, les ombres projetées par la lampe sur les parois et sur l'eau.

– Bientôt tu ne reconnaîtras plus rien, a-t-il gloussé. Comme l'endroit est très bien ventilé, j'ai l'intention de me construire une cheminée. Je raccorderai le conduit sur un de ces puits. Je me vois déjà au coin du feu en hiver...

Cela demandait un effort d'imagination, mais j'ai fini par me représenter un logement confortable.

– Là-bas je construirai un mur en pierres, avec une porte secrète, a-t-il continué en indiquant l'entrée du cul-de-sac.

Puis il a pêché un paquet de biscuits au chocolat dans un panier à linge rempli d'objets variés.

– Assieds-toi, repose-toi un peu, m'a-t-il suggéré. Non, pas là-dessus ! C'est le carton des détonateurs de travaux publics. Tu n'as pas envie de déclencher un éboulement, je suppose...

J'ai choisi une autre caisse, retiré mes baskets imbibées d'eau et remonté les jambes de mon jean avant de m'attaquer aux gâteaux.

Je mordais dans le premier quand Dep s'est écrié :

– D'où ça vient ?

– Quoi ?

Il fixait mes jambes.

– Ces chiffres. Sur ta cheville.

– J'aimerais bien le savoir.

– Ce n'est pas toi qui les as gravés ?

– Non. Je suis quasi certain que c'est Kevin, l'homme de main d'Oriana de Witt, quand il m'a abandonné dans le désert. J'ai découvert cette inscription en revenant à moi. Impossible de l'effacer.

Les chiffres et les lettres avaient beau commencer à pâlir, ils restaient visibles. Dep les a étudiés de plus près.

– Tu sais de quoi il s'agit, n'est-ce pas ? Tu sais ce que signifie ce code ?

Son ton indiquait clairement que seul un idiot pouvait l'ignorer. Tout en frottant ses doigts les uns contre les autres, il a poursuivi :

– La vraie question est plutôt : qu'y a-t-il à l'intérieur ?

– Je ne comprends pas, ai-je avoué.

Sidéré, il a écarquillé les yeux puis a éclaté de rire.

– La chance me sourit aujourd'hui, mon garçon. Mais toi aussi tu as eu de la veine de me croiser !

– Enfin, Dep, de quoi parlez-vous ?

– Pourquoi inscrire le numéro d'un coffre de banque sur ta cheville ?

J'ai cru avoir mal entendu.

– Le numéro de quoi ? Vous avez bien dit « coffre de banque » ?

– Absolument. « CCF » signifie « code du coffre-fort ». Ensuite viennent les chiffres de la combinaison. À qui appartient ce coffre ? Pas à toi, en tout cas !

Une fois de plus il a éclaté de rire.

Le code secret ! Je l'avais tous les jours sous les yeux !

Kevin, qu'on avait chargé de me supprimer, non content d'avoir épargné ma vie, m'offrait l'accès aux trésors d'Oriana de Witt.

Kevin à qui j'avais évité un passage à tabac.

Kevin qui ne supportait plus les ordres de l'avocate.

Kevin qui avait informé la police de l'implication de sa patronne dans l'enlèvement de ma sœur !

Il m'avait sans doute fourni le code pour se venger d'elle. Il devait la haïr terriblement pour la trahir de cette façon.

– Vous êtes sûr de ce que vous avancez? ai-je demandé.

– Sûr et certain. Je possède moi-même un coffre. Ça te surprend, hein?

J'ai bondi de mon siège improvisé.

– Il faut que je parte.

Il a levé vers moi ses grands yeux brillants et chaleureux.

– Pour un peu, Dep, je vous embrasserais. Et si vous me disiez comment sortir d'ici?

18 octobre
J –75

00:11

J'ai envoyé un texto à Boris et Winter :

 C énorm!! G le Kod!

---

12 Lesley Street

00:54

Vêtue du tee-shirt XXL qu'elle mettait souvent pour dormir, Winter a ouvert la porte et m'a dévisagé, dans l'attente d'une explication. Elle avait les cheveux ébouriffés et les yeux rouges, comme si elle les avait frottés.

– Alors ? Où as-tu trouvé le code ?

Je me suis assis sur le canapé avant de relever la jambe de mon jean pour dénuder ma cheville.

Winter est restée bouche bée.

– CCF égale code du coffre-fort, suivi de la combinaison, ai-je déclaré.

– Mais comment as-tu deviné? Qu'est-ce qui t'a mis sur la piste? m'a-t-elle demandé.

– Je suis tombé sur Dep. Dès qu'il a aperçu l'inscription, il a compris.

– Formidable! À présent, on dispose de l'empreinte et du code secret.

– J'ai bien réfléchi, Winter. C'est toi qui vas jouer le rôle d'Oriana de Witt.

– Moi? Tu plaisantes? Je lui ressemble autant que toi à ce gringalet de Griff Kirby.

– Ne t'inquiète pas. On peut arranger ça. Une imposante perruque rousse, des lunettes de soleil violettes. Un rouge à lèvres éclatant. Un tailleur guindé. Tu devras surtout imiter sa démarche assurée avec des talons hauts.

D'un tiroir de sa commode, Winter a sorti une paire d'immenses lunettes de soleil qu'elle a chaussées sur son nez. Elles lui dissimulaient tout le haut du visage.

– Tu vois! La transformation est déjà à moitié accomplie. On va pénétrer dans la salle des coffres de la Zürich Bank et récupérer à la fois l'Énigme et le Joyau Ormond.

Lorsque Winter s'est assise à côté de moi, j'ai remarqué tous les Kleenex froissés éparpillés derrière les coussins.

Elle a surpris mon regard.

– Le rhume des foins, s'est-elle justifiée.

J'ai froncé les sourcils.

– Sérieusement? J'ignorais que tu souffrais du rhume des foins.

Elle a poussé un soupir.

– Oh, tu sais bien que je suis incapable de cacher que j'ai pleuré. Je... je pense sans arrêt à la voiture de mes parents. Je me suis introduite dans la casse l'autre soir pour examiner l'épave, seulement Zombie 2 montait la garde.

– On y retournera ensemble. N'oublie pas, Winter : j'ai promis de t'aider à résoudre les mystères de ta famille.

– Merci, Cal, a-t-elle murmuré.

Elle s'est levée pour m'embrasser.

07:25

Winter n'était pas réveillée depuis longtemps, mais elle avait déjà extrait de sa penderie une sélection de vêtements et de chaussures pour son interprétation d'Oriana de Witt.

Dès que nous avons entendu Boris souffler dans l'escalier, un simple échange de sourires a suffi. Winter a filé dans la salle de bains avec ses différentes tenues.

– Debout là-dedans! a crié Boris.

– Une minute!

Winter a réapparu quelques instants plus tard en tournoyant sur elle-même.

Elle portait un blazer blanc, une jupe droite noire qui s'arrêtait aux genoux, des escarpins blancs à talons aiguilles, un foulard pourpre sur la tête pour dissimuler ses cheveux, un rouge à lèvres violet éclatant et ses immenses lunettes de soleil.

– Je suis prête, a-t-elle murmuré.

J'ai levé le pouce en signe d'admiration avant d'ouvrir la porte à la volée.

Figé sur le seuil, Boris est devenu livide.

Puis il a repris ses esprits et éclaté de rire.

– Génial!

Je lui ai assené une grande claque dans le dos.

– Voilà comment on va s'introduire dans la Zürich Bank, mon vieux!

Désignant ma cheville, j'ai ajouté :

– Et voici le code secret qui nous manquait.

– Excellent! a approuvé Boris.

– J'ai toujours rêvé d'incarner une avocate criminaliste… et criminelle, a déclaré Winter.

Elle a campé une pose affectée, un crayon planté entre les lèvres pour imiter Oriana de Witt fumant ses cigarillos.

Soudain, en se penchant un peu trop en arrière, elle a perdu l'équilibre et failli se casser la figure.

– Oups! Ces chaussures appartenaient à ma mère. Je n'ai pas l'habitude de porter des talons aussi hauts.

Boris et Winter ont visionné sur mon portable la vidéo filmée à la banque.

– Ce qui m'a frappé, ai-je remarqué, c'est que personne ne se retournait sur leur passage. Les employés ont donc l'habitude de les voir déambuler tous les deux.

– Si je comprends bien, tu veux que je joue le rôle de Sumo ? m'a demandé Boris.

– Tu n'auras pas besoin de te raser le crâne !

Il n'a pas bronché tandis que je rembourrais son maillot de foot avec des châles et des écharpes.

– Enfile ta veste, a ordonné Winter d'une voix intimidante, à la Oriana de Witt.

Boris venait de gagner plusieurs kilos et deux ou trois tailles. Il s'est observé dans la glace. Je l'ai rassuré :

– Impec. Tu n'as plus qu'à emprunter un veston à ton oncle et chausser tes lunettes de soleil miroir !

Tout à coup, il a eu l'air songeur.

– Je crois pouvoir bricoler un système qui nous permettrait de rester en contact avec toi. Je m'en occupe. À présent, mon pote, aide-moi à enlever ce déguisement, d'accord ?

Il a tiré de sa manche une longue écharpe en cachemire.

– Pas moyen que je me pointe au lycée dans cette tenue.

20 octobre
J –73

Nous abordions la phase technique du plan d'action.

– Je porterai ce petit écouteur branché à un fil quasiment invisible sous le col de ma veste, m'a expliqué Boris. Tu garderas un contact radio avec nous pendant tout le raid. S'il se produit un truc qui nous oblige à déguerpir, tu seras au courant.

Winter a attiré mon regard. Elle était en train de relever ses cheveux en chignon sur le sommet de sa tête avant d'enfiler une incroyable perruque rousse dénichée dans un vide-greniers.

– Voilà ta radio, a poursuivi Boris en me tendant le plus grand des deux appareils qu'il tenait. Tu peux m'appeler et moi je te répondrai, grâce à ça.

Il a tapoté l'émetteur caché dans la poche de sa veste avant d'ajouter :

– Allume-la, mec. On va le tester.

J'ai quitté le studio pour courir à l'autre bout du toit terrasse. Au-dessus de ma tête, le ciel était bleu. Un corbeau perché sur une antenne de télévision poussait des croassements rauques.

– Boris ? Tu m'entends ?

Sa voix est sortie de l'émetteur qu'il m'avait confié.

– Parfaitement.

– Et moi, je te reçois cinq sur cinq.

J'ai réintégré l'appartement.

– Espérons que le dispositif fonctionnera aussi bien dans la banque, a observé Boris. J'ignore quelles interférences risquent de se produire.

Chacun a répété plusieurs fois le code secret d'Oriana de Witt, jusqu'à le connaître par cœur, puis nous avons étudié ensemble le plan de la Zürich Bank afin que Boris et Winter soient capables de s'y déplacer avec l'assurance des deux individus qu'ils incarnaient.

Ensuite, nous avons revisionné la vidéo. Sumo avait une manière très personnelle de garder les bras écartés, avec raideur. Quant à la démarche caractéristique d'Oriana de Witt, légèrement cambrée à cause de ses talons aiguilles, elle serait facile à imiter : il fallait juste que Winter s'habitue à ses chaussures.

104

– Comment tu me trouves ? s'est inquiété Boris.

L'air suffisant, les bras raides un peu décollés du corps, il s'était mis à arpenter le studio.

Winter s'est jointe à lui.

– Alors ! a-t-elle crié d'une voix perçante, reproduisant presque à la perfection celle de l'avocate. Tu es sourd ? Dis ce que tu en penses. Ne reste pas bouche bée devant nous comme un poisson. Réponds !

– La ressemblance est si troublante que j'en ai la chair de poule, ai-je avoué en m'agitant sur ma chaise.

Elle avait recréé exactement la coiffure d'Oriana de Witt et pris la même expression féroce, implacable.

– Et moi ? a tonné Boris-Sumo. C'est à toi que je parle, mon pote !

Très fier de mes amis, j'ai souri avec sincérité.

– Vous êtes géniaux, tous les deux.

Je commençais à entrevoir la possibilité que notre plan réussisse.

– Tout est prêt, ai-je conclu. Demain, on passe à l'action !

21 octobre
J –72

Je n'ai pas très bien dormi sur le canapé de Winter. Toutes les deux heures, je me réveillais en songeant avec angoisse aux risques insensés que nous allions prendre : et si l'empreinte se révélait inopérante ? Et si mes amis étaient découverts ? Et s'ils étaient finalement arrêtés par la police ?

Boris est arrivé, aussi nerveux et excité que moi.

Winter, elle, a disparu dans la salle de bains. Quand elle en est ressortie, j'ai poussé un cri d'admiration.

Elle portait un tailleur violet, des talons aiguilles en cuir verni rouge, d'énormes lunettes de soleil au motif léopard et un sac à main argenté.

Un foulard vaporeux couvrait sa perruque rousse savamment coiffée.

– La réplique parfaite d'Oriana de Witt, a affirmé Boris en mettant la dernière touche à son propre costume.

Avec ses cheveux en brosse, ses lunettes de soleil réfléchissantes qui lui masquaient les yeux et son veston rembourré, il paraissait plus grand.

– J'ai emprunté les bottes de mon oncle Vlad, a-t-il avoué.

Winter s'est moquée de lui en souriant parce que ses talons étaient presque aussi hauts que les siens.

Il a ensuite sorti la radio de son sac, enfoncé l'écouteur dans son oreille, passé le fil transparent sous son col et glissé le petit émetteur dans la poche intérieure du veston.

Enfin, avec une extrême délicatesse, à l'aide d'une pince à épiler, il a décollé un film transparent d'une boîte en plastique.

– Et voici l'empreinte !

Fascinée, Winter l'a enfilée sur son index.

– Impeccable !

En effet, quasiment invisible, elle épousait l'extrémité de son doigt.

– On dirait que tout est en ordre, ai-je lancé avec enthousiasme.

10:02

De loin, j'ai regardé mes amis « Oriana » et « Cyril » s'approcher de l'entrée. Winter imitait à la perfection la démarche chaloupée de son modèle. À côté d'elle, Boris se traînait d'un pas lourd, aussi massif et menaçant que Sumo.

Ils ont gravi les marches et franchi rapidement les portes automatiques, avec la même assurance que si la banque leur appartenait. Une fois la réception et les guichets dépassés, ils se sont dirigés vers le scanner biométrique.

Adossé contre un arrêt de bus, l'air faussement décontracté, je me rongeais les sangs en scrutant la rue, à l'affût d'un danger éventuel.

La voix de Boris dans mon oreillette m'a fait sursauter.

– Tout va bien, mec, a-t-il murmuré. On approche du premier obstacle.

D'après ce que je distinguais à l'intérieur de la banque, personne ne leur accordait la moindre attention.

L'instant crucial était arrivé. Le cœur battant, j'ai imaginé mes amis devant l'appareil.

Winter devait presser son doigt, enveloppé du film transparent, sur la vitre du lecteur.

J'ai retenu mon souffle.

Un faible bip a retenti. J'espérais que ce n'était pas un signal d'erreur.

Boris a lâché un juron.

– Essaie encore, ai-je soufflé, tête baissée, en faisant mine de téléphoner.

Le bip a retenti de nouveau.

– Ça coince!

La détresse et le désespoir perçaient dans sa voix.

– J'ignore pourquoi, mais ça ne fonctionne pas!

Je me suis détourné, les yeux fermés. Oh non! Impossible! On ne s'était pas donné tout ce mal pour rien!

– Sortez, ai-je murmuré. Rien n'est perdu. Il faut juste réaliser une nouvelle empreinte. On recommencera. Sortez avant que quelqu'un s'aperçoive de la supercherie.

Pas de réponse.

Inquiet, j'ai gravi quatre à quatre les marches de la banque. J'ai aperçu Boris et Winter qui franchissaient les lourdes portes. Ils avaient réussi à déjouer le barrage du scanner! Aussitôt, je me suis hâté de regagner mon arrêt de bus.

– On est dans la place, a chuchoté Boris. Au bout de trois essais. Wouah, on a eu chaud, mec!

Dans ma radio résonnait maintenant le bruit de leurs pas sur une surface dure. Je me représentais mes amis se dirigeant vers les coffres.

110

– On marche dans une longue galerie en marbre, continuait à murmurer Boris. Incroyable. De chaque côté, il y a des centaines, peut-être des milliers de coffres. Les plus gros se trouvent au ras du sol, les plus petits près du plafond. Tous sont numérotés. Les deux premiers chiffres du code secret – 29 – semblent correspondre à l'emplacement. On cherche le...

Silence. Mon cœur a bondi dans ma poitrine. Que se passait-il ?

Les bruits de pas s'étaient brusquement tus. J'ai tendu l'oreille.

Puis la voix perçante de Winter a éclaté :

– Vous ne pouvez pas faire attention !

Quelqu'un venait sans doute de la bousculer.

– Je vous demande pardon, madame, a dit un inconnu.

Bien joué ! L'avocate aurait eu exactement ce type de réaction.

Soulagé, je me suis détendu.

– Désolé pour l'interruption, a repris Boris. On essaie toujours de localiser le coffre. Des gardiens surveillent la salle mais ils ne s'occupent pas de nous. On approche des numéros les plus bas, le 29 ne devrait pas être loin.

La voix de Boris me parvenait mal tout à coup, entrecoupée.

– On... CCF... 29. Elle... clé... chiffres...

– Boris, je ne te reçois plus très bien. Il y a des interférences.

Alors que je regardais autour de moi dans l'espoir de déterminer ce qui pouvait les provoquer, j'ai eu le choc de ma vie. La Mercedes bleu foncé d'Oriana de Witt s'arrêtait devant la Zürich Bank dans un crissement de pneus.

Je ne rêvais pas! C'était la pire des situations envisageables!

Je me suis caché en vitesse derrière l'abribus.

La véritable Oriana de Witt a fait pivoter ses jambes hors de la voiture et posé ses talons rouge vif sur le trottoir. Sumo s'était garé sans le moindre scrupule juste devant la banque, sur un emplacement interdit. Il a jailli à son tour, tiré sur sa veste et passé une main dans ses cheveux en brosse avant de claquer la portière.

J'ai deviné la voix excitée de Winter dans mon oreillette.

– C'est le bon code!

– On a ouvert le coffre, a confirmé Boris.

– Videz-le et filez en vitesse! ai-je sifflé.

Malheureusement, distrait par sa découverte, Boris a ignoré mon avertissement.

– Il y a un colis, a-t-il poursuivi.

J'ai été obligé de hausser le ton sans desserrer les dents.

– Écoute-moi, bon sang! Vous devez partir immédiatement.

L'avocate et son garde du corps montaient déjà les marches de la banque.

– Prenez tout et fichez le camp! Oriana de Witt et Sumo débarquent!

– Quoi?

– Tu m'as bien entendu.

J'ai serré la radio entre mes mains moites. Si Winter et Boris sortaient maintenant et croisaient les deux criminels dont ils avaient usurpé l'identité, ce serait la catastrophe absolue.

L'avocate et son garde du corps venaient de faire halte au beau milieu de l'escalier. Ils paraissaient engagés dans une discussion violente. Une main sur la hanche, l'autre en l'air, Oriana de Witt pointait vers son employé un doigt accusateur. Hors de lui, ce dernier soufflait fort et ripostait à grands cris.

Tout à coup, j'ai aperçu, de l'autre côté des portes en verre, Winter et Boris, qui, toujours déguisés, se hâtaient de traverser le hall. D'une seconde à l'autre, les deux acteurs allaient se retrouver nez à nez avec les personnages qu'ils incarnaient!

J'ai voulu les prévenir par radio... Trop tard! Ils franchissaient déjà le seuil.

À quelques mètres, Oriana de Witt et Sumo continuaient leur échange de propos acerbes. « Ne vous retournez pas », ai-je supplié entre mes dents. Tendu à l'extrême, impuissant, j'ai observé la scène.

À la vue des deux autres si proches, Boris et Winter ont eu l'air horrifié; ils ont hésité un dixième de seconde avant d'obliquer rapidement vers la droite, s'éclipsant sans se faire remarquer.

À cet instant, Oriana de Witt et Sumo faisaient volte-face pour pénétrer dans la banque.

Arrivée à l'angle du bâtiment, Winter a arraché sa perruque. J'ai poussé un soupir de soulagement. Ses longs cheveux noirs flottaient sur ses épaules tandis qu'elle dévalait la rue, pieds nus, talonnée par Boris.

Soudain, il a hurlé dans mon oreillette :

– On est dehors. Arrache-toi ! Ils vont déclencher l'alarme dès qu'ils s'apercevront que le coffre est vide !

Et aussitôt une sonnerie stridente a retenti. J'ai couru derrière mes amis.

Quelques minutes plus tard, des voitures de police convergeaient de toutes les rues vers la banque.

12 Lesley Street

12:02

– C'était moins une !

Effondré sur une chaise, Boris tentait de retrouver son souffle.

Winter, qui se débarrassait de son déguisement, s'est exclamée :

– On a eu chaud… Mais on a réussi ! Vous vous rendez compte ? Notre plan a marché comme sur des roulettes !

Nous nous sommes levés tous les trois pour nous taper dans les mains.

Puis Boris s'est jeté sur le canapé avec un grand sourire.

– Après toutes ces épreuves, le voyage en Irlande sera un jeu d'enfant !

Même si je ne partageais pas l'assurance de mon ami, au moins nous avions récupéré l'héritage de ma famille. Nous pouvions reprendre notre quête.

Winter m'a tendu le paquet subtilisé dans le coffre d'Oriana de Witt :

– Ouvre-le. À toi l'honneur !

Boris et elle se sont penchés en avant tandis que j'en déversais le contenu sur la table.

– Hein ? Qu'est-ce que c'est que ça ? me suis-je écrié.

Nous nous sommes dévisagés, abasourdis.

– Oh non ! Ce n'est pas vrai ! ont gémi d'une seule voix Boris et Winter.

Au lieu de l'extraordinaire, de l'unique Joyau Ormond, nous avions sous les yeux une broche ovale en pierre grise polie. J'ai saisi ce que je pensais être l'Énigme... pour découvrir qu'il s'agissait également d'un faux.

– Regardez, tous les bords du parchemin sont irréguliers. C'est une copie ! Le bord inférieur de l'original, lui, a été tranché net.

Je me suis affalé sur un coussin. J'avais l'impression que toute mon énergie m'avait complètement déserté.

– Ce n'est pas vrai ! a répété Winter. Après tous les risques qu'on a pris et tes recherches sur l'empreinte, Boris. La conception des déguisements. La découverte du code secret. Je ne peux pas le croire.

Anéantis, nous avons continué à fixer la table en silence. Au bout d'un moment, j'ai tenté de me ressaisir.

– Attendez. Si Oriana de Witt s'est donné la peine de cacher ces objets dans un coffre, ce n'est pas pour rien. Vous me suivez ? Elle ignore que ce sont des faux ! Quelqu'un d'autre a volé le parchemin original de l'Énigme et le véritable Joyau !

Boris a ouvert des yeux ronds.

– Qui ?

Mal à l'aise, j'ai observé Winter et déclaré :

– Sligo. Il a dû mettre la main sur mon sac à dos, au funérarium, et procéder à l'échange. Oriana de Witt s'est emparée de ce qu'elle croyait être l'Énigme et le Joyau Ormond. Elle les a déposés à l'abri dans un coffre, sans se douter que son butin ne valait pas un clou !

D'un geste rageur, j'ai balayé la table et repoussé la broche et le parchemin.

– Ou alors, ai-je repris, une tierce personne est impliquée dans cette affaire, quelqu'un qu'on ne connaît pas.

– Je ne comprends pas, est intervenu Boris. Pourquoi Sligo aurait-il fait l'échange ? Pourquoi s'embêter à fabriquer des faux ?

116

– Pour laisser Oriana de Witt s'imaginer qu'elle possède les originaux. Du coup, elle lui fiche la paix et il a les coudées franches pour poursuivre ses recherches.

Winter a lancé :

– À moins que Drake Bones se soit révélé plus futé que les deux autres et les ait bernés.

– Tout ce temps passé au lycée sous la hotte aspirante du labo de sciences à m'asphyxier avec de la colle... pour rien, a fulminé Boris. Quand je pense que j'ai réussi à tromper le scanner de la Zürich Bank avec ma fausse empreinte. En pure perte !

Très agité, il s'est levé et mis à arpenter la pièce de long en large tout en se débarrassant des derniers accessoires de son costume de Sumo.

Le visage grave, Winter m'a demandé :

– Qu'est-ce qu'on va faire maintenant, Cal ? Sûrement pas renoncer. C'est impossible.

J'ai grimacé. La déception s'insinuait dans toutes les cellules de mon esprit. Je ne savais pas quoi lui répondre.

– Réfléchissons, a-t-elle insisté. Il faut espionner tous les suspects. Je multiplierai mes visites chez Sligo. Le temps se réchauffe[1] ; bientôt je pourrai à nouveau me baigner dans sa piscine. Vous deux, vous devriez peut-être recommencer à surveiller Bones.

1. En Australie, comme dans tout l'hémisphère Sud, les saisons sont inversées.

Après avoir jeté un coup d'œil à Boris qui se calmait peu à peu, elle a ajouté en désignant les faux trésors d'Oriana de Witt :

– On ferait mieux d'oublier tout ça un moment pour se concentrer sur les premières pistes – les dessins, le texte de l'Énigme – et dénicher des indices qui nous auraient échappé. Pas question d'abandonner. En tout cas, moi, je n'abandonnerai jamais.

23 octobre
J –70

10:21

J'avais regagné la masure de St Johns Street afin de laisser Winter respirer un peu. Je me sentais aussi impuissant et furieux que si j'avais reçu des coups de pied dans le ventre – et qu'on persistait à m'en décocher. J'étais de retour à la case départ. Pire encore, car si une tierce personne – un inconnu – se mêlait à la partie, nous avions peu de chances de l'emporter.

Mon portable a sonné. C'était Boris.

– Cal, j'ai une info pour toi. Est-ce qu'on peut se retrouver chez Winter ce soir ? Apporte tous les éléments à ta disposition. Je crois avoir deviné pourquoi ton père a dessiné César à côté du Sphinx.

19:01

— Allez, Boris, dis-nous tout, a insisté Winter. Que signifie ce buste de César ?

— Patience, patience. Chaque chose en son temps.

Sans se presser, il a sorti son carnet et fait claquer deux ou trois fois l'élastique avant de l'ouvrir. Puis il s'est raclé la gorge et a lu à haute voix :

— Le chiffre de César est l'un des codes secrets les plus simples qui existent. Personne ne sait si Jules César en est réellement l'inventeur, toutefois...

— Un code secret ? l'ai-je interrompu, abasourdi.

— Tout juste, a confirmé Boris en refermant son carnet.

— Explique-nous comment ça marche ! s'est impatientée Winter.

— Minute.

Mon ami a tiré une grande feuille de papier kraft de son sac et pris un crayon sur la table. Puis il a tracé rapidement toutes les lettres de l'alphabet.

ABCDEFGHIJKLMNOPQRSTUVWXYZ

– Voilà le principe, a-t-il déclaré en recommençant à écrire l'alphabet, mais en plaçant cette fois le « A » sous le « B » de la ligne précédente, et ainsi de suite.

```
A B C D E F G H I J K L M N O P Q R S T U V W X Y Z
Z A B C D E F G H I J K L M N O P Q R S T U V W X Y
```

– Là, on a un décalage d'une lettre. Une fois codé, CAL deviendrait donc BZK. Pigé ? On peut choisir le décalage qu'on veut. De dix lettres, par exemple, et débuter le nouvel alphabet codé par la lettre K.

Boris a réécrit l'alphabet en plaçant le « K » sous le « A ».

```
A B C D E F G H I J K L M N O P Q R S T U V W X Y Z
K L M N O P Q R S T U V W X Y Z A B C D E F G H I J
```

– Maintenant, CAL se transforme en MKV.

– Qu'est-ce qu'on attend ? s'est écriée Winter. Essayons tout de suite d'appliquer le chiffre de César à l'Énigme ! Mais avec quel décalage à votre avis ? Une, deux ou trois lettres ? Et on commence par où ? Est-ce qu'on l'utilise sur chaque mot ?

– Il faut tout tenter, ai-je tranché. Tous les mots, tous les décalages possibles – soit vingt-cinq combinaisons.

– Je dois pouvoir créer un programme informatique capable de réaliser l'opération à notre place, a proposé Boris. Ça prendra un moment, seulement, une fois au point, il traitera toutes les combinaisons en un clin d'œil. Et il suffira de chercher parmi les résultats un autre message caché dans l'Énigme. Une information enchâssée à l'intérieur.

– Et si ce sont les deux vers manquants qui recèlent cette information ? ai-je avancé.

Boris a haussé les épaules.

– Dans ce cas, il ne restera qu'une solution…

– Aller en Irlande ? ai-je suggéré.

– Exactement. Parler au conservateur des livres rares. Vérifier s'il possède bien des renseignements sur les deux derniers vers. Le temps presse. On ne peut pas attendre que la réponse tombe entre nos mains par miracle.

J'ai examiné les dessins. Nous avions fini par découvrir l'existence du chiffre de César, mais était-ce réellement ce code secret que mon père souhaitait mettre en évidence ?

Winter avait établi un lien entre le croquis du singe et un portrait d'Elizabeth Ière jeune fille, cependant cet animal constituait-il une simple allusion à la reine ou cachait-il un autre indice ?

– Au fait, a dit Boris, Gaby m'a annoncé que Ralf et ta mère l'emmènent à la baie des Lames quelques jours. Histoire de prendre l'air... Ils partent ce matin.

Cette information m'intéressait au plus haut point. C'était dans la villa de Ralf que j'avais trouvé pour la première fois une note sur l'Énigme Ormond.

– Voilà l'occasion rêvée pour fouiller la maison, ai-je observé. Ralf détient peut-être des documents insoupçonnés. Quant à ma mère, elle pourrait bien avoir conservé dans ses affaires un souvenir de mon père, quelque chose d'apparemment insignifiant, mais utile pour nous.

– Mec, tu m'ôtes les mots de la bouche. Comme je me doutais que tu aurais envie d'y faire un tour, j'ai prévenu Gaby, notre nouvelle petite espionne. Elle est vraiment géniale. Elle a joué le jeu. Elle m'a promis de laisser sa clé sous le barbecue et de désactiver les caméras de surveillance comme les détecteurs de présence. Il faudra tout remettre en marche avant de déguerpir.

J'ai accueilli la nouvelle avec un grand sourire. Ma sœur devenait une précieuse alliée. J'étais fier d'elle.

21:30

Boris et moi avons sauté dans le jardin puis filé directement vers la terrasse où Gaby avait caché la clé, sous le barbecue. La nuit était sombre et le vent soufflait avec un gémissement sinistre. Pourtant nous étions détendus : nous savions que la villa était déserte.

Le chat du voisin, le chat noir qui m'avait sauvé la mise la dernière fois que j'étais venu, s'est frotté contre mes jambes quand j'ai ouvert la porte de derrière.

Aucun indice susceptible de nous fournir un renseignement sur le Dangereux Mystère Ormond ne devait nous échapper.

Nous avons franchi la porte en braquant nos lampes torches sur le sol, devant nous. Une fois à l'intérieur, j'ai hésité. Une lumière était restée allumée et, depuis la pièce voisine, une radio diffusait un programme en sourdine – une vieille habitude de ma mère pour faire croire que l'endroit était occupé.

Je suis entré à pas prudents dans le séjour et me suis figé.

– Un problème ? s'est inquiété Boris.

– Il me semble reconnaître le parfum de ma mère.

J'ai remarqué des coussins et un vieux tapis provenant de notre ancienne maison. L'odeur familière m'envahissait douloureusement. Elle me rappelait une époque où tout paraissait facile, où nous étions heureux. Où j'étais en sécurité.

– Excuse-moi, Boris, tu disais ?

Mon ami venait de me poser deux fois la même question sans obtenir de réponse.

– Avant d'être attaqué dans le funérarium, tu avais senti un parfum, a repris Boris. C'est le même ?

– Non.

Boris ne paraissait pas convaincu. Qu'est-ce qu'il insinuait ?

– Non, ai-je répété. Ce n'était pas le parfum de ma mère. OK ?

– Bon, bon. On commence par où ? La cuisine ?

– Oui. Vas-y. N'oublie pas de vérifier au-dessus du réfrigérateur. Moi, je fouille de ce côté-là, ai-je déclaré en m'enfonçant dans le séjour.

Je me suis accroupi devant les placards qui bordaient le mur, sous l'ensemble télévision et chaîne stéréo.

– Cherche des boîtes de rangement aux couvercles rouges, comme celle qu'on a découverte dans le caveau des Ormond, au mois de janvier.

Sans bruit, nous avons examiné méthodiquement chaque étagère, chaque placard.

Pièce après pièce, nous avons inspecté tout le
rez-de-chaussée, y compris le bureau où j'avais
vu les mots « L'Énigme Ormond ? » griffonnés
par la main de mon oncle. Depuis ma dernière
visite, Ralf s'était livré à un grand rangement.
La planche à dessin et le dessus des bibliothèques étaient nus.

Au fond du hall, dans le débarras exigu et
dépourvu de fenêtres où mon oncle entreposait
les outils de jardin, j'ai repéré trois boîtes à couvercle rouge empilées les unes sur les autres.

Après avoir pris soin de fermer la porte, j'ai
allumé la lumière puis je me suis assis par terre
pour contrôler leur contenu.

J'ignore ce que j'espérais dénicher, cependant
ma déception a été vive. Les dossiers renfer-
maient des schémas complexes, des notes sur
la chimie et la botanique – les mêmes qu'en janvier. Quelques liasses de vieilles quittances et
déclarations d'impôts complétaient l'inventaire.
Mais pas le moindre détail concernant le DMO.

La porte s'est ouverte dans mon dos. Boris
venait aux nouvelles.

– Rien, ai-je conclu en repositionnant les
couvercles rouges et en remettant les boîtes en
place. Et toi ?

– Pareil. Je crois qu'on a ratissé tout le rez-de-chaussée. On monte ?

En haut de l'escalier, Boris et moi sommes partis chacun de notre côté. La première chambre sur mon chemin était celle de Gaby. Je l'ai contemplée depuis le seuil.

Gaby vivait enfin dans la chambre de ses rêves : un grand lit à baldaquin orné d'un voile blanc et recouvert de peluches ; dans un angle, un lampadaire, un pouf rose et une montagne de coussins ; un petit bureau ; un somptueux tapis au milieu de la pièce ; contre le mur opposé au lit, une imposante armoire blanche et une coiffeuse surmontée d'un miroir sans cadre.

Collé au miroir de sa coiffeuse, le drôle de chat que je lui avais dessiné puis envoyé par la fenêtre me fixait.

Sans réfléchir, j'ai attrapé un marqueur noir sur le bureau pour ajouter au félin un chapeau haut-de-forme et un nœud papillon.

– Viens voir ! m'a crié Boris au fond du couloir.

Je l'ai aussitôt rejoint.

– Qu'est-ce qu'il y a ?

– Jette un coup d'œil ici.

Mon ami a promené le faisceau de sa lampe torche dans la pièce où je venais de pénétrer. J'en suis resté bouche bée. Je contemplais la réplique exacte de mon ancienne chambre ! Comme si on l'avait déplacée chez Ralf.

Soudain, j'ai été saisi d'une envie irrépressible de plonger dans mon lit pour m'enfouir sous la couette avec mon oreiller entre les bras avant de fermer les yeux.

Boris m'a retenu par l'épaule.

– Surtout pas, mec. Il ne faut pas qu'ils sachent qu'on est passés. Ne touche à rien. N'oublie pas pourquoi on est là, OK ?

J'ai enregistré avidement les détails qui m'entouraient. Ma photo – la dernière, prise au lycée – était posée sur l'oreiller, comme un triste rappel. Chaque objet m'aidait à combler les vides, à reconstituer le souvenir de l'adolescent que j'étais auparavant.

Toutefois Boris avait raison. Je ne pouvais même pas prendre des vêtements de rechange dans mes tiroirs.

– Assez traîné ici, ai-je lancé en m'éloignant.

Je ne devais pas me laisser distraire.

La maison avait beaucoup changé depuis ma visite en janvier. J'ai trouvé la pièce où ma mère dormait sans doute, car sa brosse à cheveux et un flacon de parfum étaient alignés sur la coiffeuse. Pourtant cette chambre paraissait étrangement inhabitée, comme si on l'utilisait rarement.

En feuilletant un paquet de lettres – la plupart envoyées par mon père pendant ses voyages à l'étranger –, j'ai découvert un billet d'avion Irlande-Australie. Lorsqu'il était tombé malade, l'assurance avait payé les frais de son rapatriement en avion sanitaire et son billet retour était resté inutilisé.

J'ai fourré le billet dans mon sac à dos, persuadé que personne ne s'apercevrait de sa disparition. Je souhaitais conserver ce souvenir de lui.

À côté du flacon de parfum, une petite fiole portait l'étiquette d'une pharmacie. J'ai cru comprendre qu'il s'agissait d'un fortifiant à base de plantes.

Enfin, Boris et moi avons terminé notre fouille ensemble par la chambre de Ralf. Nous avons examiné tous les tiroirs et placards de fond en comble, en vain.

Juste avant de quitter la pièce, j'ai jeté un œil sous le lit et aperçu une valise verte que je n'avais jamais vue. À ma grande déception, elle était bourrée de notes sur la botanique.

J'ai feuilleté plusieurs dossiers. Tous contenaient des pages et des pages couvertes de schémas de protéines et de toxines présentes dans différents types de fougères. Rien sur l'Énigme ou le Joyau. Rien sur la famille Ormond. Au fond de la valise, une feuille de papier à dessin m'a intrigué. Je l'ai déroulée et aplatie sur le lit.

C'était le plan d'une propriété. En haut, on avait tapé à la machine : « Demandé par Tom et Erin Ormond ». La mention « VENTE APPROUVÉE » avait été tamponnée par-dessus.

Vente approuvée? Je ne reconnaissais pas notre maison de Richmond. J'ai cherché un détail susceptible de m'éclairer. Un seul élément a retenu mon attention : une croix rouge avait été tracée à l'emplacement de l'une des chambres du premier étage.

Je n'étais pas venu pour consulter des plans. J'ai roulé le document puis l'ai remis dans la valise avant de repousser celle-ci sous le lit.

À cet instant, j'ai remarqué par terre une paire de mules ornées de perles.

Les pantoufles de ma mère !

Troublé, je me suis relevé. La vieille robe de chambre bleue de ma mère, accrochée derrière la porte de la chambre, m'a soudain sauté aux yeux.

Ma mère partageait la chambre de Ralf ? Boris m'en avait parlé mais je n'arrivais pas à le croire. Ma tête s'est mise à tourner. Je refusais d'y penser.

– On a perdu notre temps, ai-je décrété. Il n'y a rien ici.

Mes yeux ont alors repéré, dans la main de Boris, une petite carte.

– Je l'ai récupérée en bas. Elle était enfouie dans la corbeille à papier du bureau de Ralf, m'a-t-il expliqué en me la tendant.

C'était la carte de bus de Ryan Spencer, au dos de laquelle j'avais griffonné « Qui suis-je ? » avant de la glisser dans la boîte aux lettres.

Ralf l'avait-il montrée à ma mère avant de s'en débarrasser?

– Il vaut mieux la remettre où tu l'as trouvée, ai-je suggéré en la lui rendant, non sans avoir noté que l'anniversaire de Ryan tombait le mois suivant.

Brusquement, un bruit en provenance de l'extérieur m'a alerté.

– Qu'est-ce qu'il y a? s'est inquiété Boris.

– J'ai entendu une voiture. Je vais jeter un coup d'œil.

Dans le couloir, j'ai regardé par une des fenêtres qui donnaient sur le jardin.

– Elle s'arrête devant la maison. Ses phares sont éteints.

– Quelqu'un a dû apercevoir le faisceau de nos lampes torches. Fichons le camp.

Nous avons dévalé l'escalier quatre à quatre. Ralf, ma mère et Gaby rentraient-ils plus tôt que prévu? Dans ce cas, pourquoi cette arrivée furtive, sans lumières?

Au rez-de-chaussée, Boris s'est hâté de programmer le système de sécurité de façon qu'il s'enclenche cinq minutes plus tard, nous sommes sortis puis nous avons replacé la clé sous le barbecue. Ensuite, tapis dans l'ombre, nous nous sommes éloignés en vitesse de la villa avant de tourner au coin de la rue.

Aucun véhicule ne nous a suivis. Mon imagination m'avait-elle joué des tours?

24 octobre
J –69

07:32

Cal, Boris, RDV tour 2 l'orloj dè q possib !

Tour de l'horloge

08:21

J'ai repéré Winter avant qu'elle ne me voie. Ses cheveux indisciplinés volaient au vent et, bien que ses tenues soient moins extravagantes depuis quelque temps, on la remarquait. Dès qu'elle m'a aperçu, elle a couru vers moi, son médaillon tressautant au bout de sa chaîne.

– Qu'est-ce qui se passe ? s'est-elle exclamée. Tu en fais une tête !

– La nuit a été rude.

133

Je l'ai rapidement mise au courant de notre incursion chez Ralf. Puis j'ai relevé ses yeux inquiets, la pâleur de son visage.

– Toi non plus, tu n'as pas l'air d'aller fort.

Je devinais qu'elle mourait d'envie de se confier à moi. Pourtant, elle a déclaré :

– Attendons Boris. Il devrait être là dans une seconde. Tiens, le voilà, a-t-elle ajouté alors que mon ami apparaissait en haut des marches.

Nous nous sommes isolés dans un coin tranquille et Winter a lancé :

– Sligo mijote quelque chose d'énorme avec sa bande. Je n'en sais pas plus.

– Tu crois qu'il détient l'Énigme et le Joyau ? ai-je demandé.

– Je n'en suis pas certaine, cependant un événement s'est produit qui l'a transformé. Il remue ciel et terre pour organiser sans délai un banquet d'affaires. Il est tellement à cran que je suis obligée de prendre des pincettes pour l'aborder. En tout cas, c'est la première fois qu'il prépare une réception de cette envergure. Ça me paraît louche.

– Il compte peut-être faire étalage de ce qu'il possède, a suggéré Boris. Histoire d'être cité dans les journaux à la rubrique des mondanités ?

Nous étions tous les trois appuyés contre le parapet qui nous arrivait à la poitrine.

Après une minute de réflexion, Winter a poursuivi :

– Il est pendu au téléphone pendant des heures à contacter des gens pour mettre la soirée sur pied. D'après ce que j'ai compris, Oriana de Witt serait sur la liste des invités !

J'ai froncé les sourcils : je me remémorais la manière dont Sligo avait craché par terre en entendant prononcer le nom de l'avocate, la première fois que je l'avais rencontré.

– Oriana de Witt ? Pourquoi ? Ils se haïssent.

Elle a secoué la tête.

– Et s'il souhaitait lui proposer un marché ?

Boris semblait de cet avis.

– C'est possible. S'il possède le Joyau et l'Énigme, il est capable de solliciter sa collaboration pour travailler sur la Singularité Ormond. Il est en position de négocier mais il ne lui reste que deux mois pour parvenir à ses fins. On peut imaginer qu'il cherche à créer un front uni contre leur ennemi commun.

Je me suis écarté du parapet pour dévisager Boris.

– C'est-à-dire moi ?

– C'est-à-dire toi.

Mes deux amis me fixaient d'un air grave.

Winter a repoussé du pied quelques feuilles et s'est assise par terre, en tailleur.

– Hier soir, après votre départ, je me suis rendue chez Sligo sous prétexte de me baigner dans sa piscine. Je l'ai surpris en train de passer une commande interminable à un traiteur – entrées, plats, desserts au chocolat, vins, champagnes et digestifs. Le grand jeu. Dès qu'il a raccroché, je lui ai demandé ce qu'il fêtait. Il m'a appris qu'il préparait une réception qui permettrait la rencontre de deux personnes très importantes. Quand je l'ai plaisanté sur le fait qu'il allait devoir jouer les maîtresses de maison, il m'a chargée de ce rôle.

Je n'en revenais pas.

– Il te fait vraiment confiance, dis donc, ai-je remarqué.

– Il faut croire, a-t-elle marmonné en regardant ses bottes.

Se sentait-elle coupable d'être dans les petits papiers du truand?

– Il a peut-être l'intention de vendre l'Énigme et le Joyau à Oriana de Witt au prix fort, ai-je suggéré.

Winter a secoué la tête avec vigueur.

– Sligo ne les abandonnera jamais. Il est fermement décidé à percer la vérité sur la Singularité Ormond. C'est sa *mission*. Non, il s'agit d'autre chose.

Elle a levé vers moi des yeux angoissés.

Boris est intervenu.

– Dans un livre sur la pègre de Chicago, j'ai lu que des gangsters avaient fait semblant de se réconcilier avec leurs ennemis en donnant un grand dîner en leur honneur. Une fois que tous les convives avaient bien bu et bien mangé, ils les ont arrosés de rafales de mitrailleuses!

136

Peut-être que Sligo a prévu de se débarrasser d'Oriana de Witt ?

Winter a secoué la tête.

– Nous ne sommes pas à Chicago, Boris. Si Sligo voulait supprimer sa rivale, il n'inviterait pas une foule de témoins ! Non, ce n'est pas son style...

J'ai échangé un coup d'œil avec Boris. Nous partagions l'impression que Winter ne nous avait pas tout révélé. Elle s'en est aperçue.

– Écoutez, je sais que Sligo est une ordure. J'ai parfois du mal à l'admettre. Mais une visite dans son entrepôt de voitures m'en a apporté une nouvelle preuve.

– De quoi tu parles ? avons-nous demandé d'une seule voix.

Winter a poussé un profond soupir.

– En quittant son domicile, je me suis rendue à la casse. Pendant que je fouinais, j'ai vu Zombie 2 arpenter les allées, son téléphone vissé à l'oreille. D'après ses « oui, patron », « non, patron », « comme vous voulez, patron », j'ai deviné qu'il s'adressait à Sligo. Après cette conversation, il s'est rendu tout droit à la cuve de mazout...

Winter m'a lancé un regard effrayé.

– Il a dévissé le couvercle, plongé une perche à l'intérieur et au bout d'un moment... il en a remonté... un corps.

Un silence abasourdi a accueilli ses paroles.

– Cet épisode ne devrait pas m'étonner, ni vous. Ç'aurait pu être ton cadavre, Cal. On sait tous les trois de quoi Sligo est capable. J'ai peur de ce qui risque de se produire pendant ce dîner et je n'ai pas envie d'être impliquée dans les machinations de Sligo.

Je me demandais où Winter voulait en venir.

– D'un autre côté, si j'assiste au banquet, j'aurai une chance de glaner des informations qui nous permettraient peut-être d'éclaircir le DMO.

– Tu es prête à courir ce risque et à aider Sligo ?

– Oui, Cal. Pour deux raisons. La première, l'espionnage. Je ne peux pas trouver de meilleur alibi pour traîner dans l'entourage de Sligo que de lui offrir mon aide.

– Et la deuxième ?

– Jouer la fille docile me facilitera la tâche pour dénicher la preuve dont j'ai besoin.

– La preuve ? a répété Boris sans comprendre.

– Je voudrais tellement croire que mes parents avaient de bonnes raisons de léguer à Sligo une partie de leur fortune et de me confier à sa garde. Je dois lire leur testament de mes propres yeux pour m'assurer qu'il n'a pas été falsifié.

Elle s'est assise à côté de moi, tête baissée, en tripotant son médaillon, avant de poursuivre :

– Pendant que Sligo sera occupé à « divertir » ses invités, j'espère pouvoir fouiller son bureau pour chercher une copie de leur testament.

– Si tu joues le rôle de maîtresse de maison, tu auras beaucoup de mal à t'éclipser, ai-je remarqué.

– Je sais, a-t-elle concédé.

Son portable a vibré dans sa poche. Elle s'est levée pour répondre.

– Oh, c'est sûrement miss Sparks. J'en ai pour une seconde.

Pendant qu'elle téléphonait, j'ai murmuré à Boris :

– J'ai une idée. On pourrait placer un micro dans la salle à manger de Sligo, comme on l'a fait chez Oriana de Witt.

– Pour épier les conversations ?

J'ai hoché la tête en silence. Au bout de quelques secondes, il a déclaré :

– Et si on utilisait plutôt une caméra espionne pour avoir l'image en plus du son ? Les nouveaux modèles sont minuscules et faciles à dissimuler. Si je m'en procurais une, je pense qu'elle tiendrait à l'intérieur du médaillon de Winter.

– Génial !

J'ai sorti discrètement une partie des billets reçus en échange des pépites d'or pour les lui glisser dans la main.

– Tiens. Reste à récupérer le médaillon de Winter.

– Je te laisse t'en charger, mon pote, a répliqué Boris dans un large sourire.

Winter revenait vers nous.

– Il faut que je file. Miss Sparks m'attend à la maison – j'ai dû avancer le cours à cause des préparatifs du banquet.

– Quoi? Ne me dis pas que le dîner a lieu ce soir! me suis-je exclamé.

– Mais si. Je vous ai précisé que c'était organisé à la dernière minute. Dès que miss Sparks s'en va, vers midi, je vous rappelle.

Elle a disparu dans l'escalier de la tour.

– On a intérêt à agir vite, a déclaré Boris en sortant son portable.

Penché sur son épaule, je l'ai regardé se connecter par wifi sur le site web d'un spécialiste en matériel de surveillance. Quelques minutes plus tard apparaissaient sur l'écran une série de caméras aux objectifs aussi petits que des têtes d'épingle, logées sur des émetteurs miniaturisés capables de transmettre le son.

– Je peux optimiser les dimensions en utilisant le médaillon de Winter comme boîtier. Il suffirait de percer un trou de la taille de l'objectif. Je connais un mec qui me prêterait le matériel. Je vais passer le voir.

– Winter n'appréciera pas que tu troues son médaillon.

– Je cache le fil dans la chaîne, a-t-il poursuivi sans prêter attention à ma remarque, puis sous ses vêtements. On fixe la batterie dans sa ceinture. J'établis une liaison audio et vidéo avec mon ordinateur et on n'a plus qu'à se poster dans les environs pour regarder et écouter...

– Super ! Tu as juste oublié un petit détail : le dîner se déroule chez Sligo. On aura du mal à s'installer à proximité...

– Ouais, d'accord. Un point pour toi. Trop dangereux.

– On trouvera une solution. Si on réussit à voir et entendre ce que Sligo et sa bande mijotent, à saisir ne serait-ce qu'une allusion au Joyau et à l'Énigme, il nous reste une chance de remettre la main dessus.

Je sentais l'espoir renaître.

12 Lesley Street

12:11

– Pas question ! a hurlé Winter en me jetant un regard noir. Tu veux que je porte sur moi une caméra et un micro pendant le dîner ? Mais tu es fou ! Et qu'est-ce que je raconterai à Sligo si jamais il le découvre ? Je vais me retrouver dans la cuve à mazout !

– Laisse-moi t'expliquer. Boris compte bidouiller une minuscule caméra accompagnée d'un micro miniature. L'ensemble est si petit qu'il passerait inaperçu dans ton médaillon. Il faudrait juste le percer...

– Le percer ? s'est-elle offusquée en serrant son bijou. Mon médaillon ? Ah non, tu peux faire une croix dessus. Jamais personne n'y touchera! Tu me déçois, Cal.

Elle avait le visage convulsé de fureur.

– Du calme, Winter.

J'ai sorti mon portable.

– Tiens. Tu vois la taille de l'objectif? Celui de Boris est encore plus discret.

Elle a sauté sur le canapé, les genoux relevés, la tête tournée de l'autre côté. Je l'ai regardée ouvrir son médaillon et contempler les photos de ses parents.

Brusquement un souvenir m'est revenu : elle avait manipulé le bijou avec la même tendresse, ce soir de février où je l'avais aidée à le récupérer. Nous nous connaissions à peine, à cette époque. Depuis, nous étions devenus amis. Comment avais-je pu lui demander d'abîmer cet objet auquel elle tenait tant? Je devais trouver une autre solution.

Je me suis approché de sa coiffeuse. Suspendu au miroir entre des foulards et une chaîne ornée d'un pendentif en or, il y avait un collier composé de lourdes perles de bois. Je l'ai décroché. Les perles, de la taille d'une grosse noisette, semblaient creuses.

– Il fera l'affaire, a affirmé Winter.

Elle m'a pris des mains le collier pour l'attacher autour de son cou.

– C'est parfait, a-t-elle déclaré avec conviction. Appelle vite Boris, annonce-lui que je suis partante.

– Tu en es certaine?

– Il faut savoir courir des risques pour défendre ce qui nous tient à cœur. Mes parents le répétaient toujours.

15:21

Je suis sorti guetter mes amis. Quelques feuilles mortes et des lambeaux de papier journal tourbillonnaient dans les angles du toit terrasse.

Winter était en retard : elle m'avait promis qu'elle serait de retour à quinze heures. Elle s'était rendue chez Sligo dans l'espoir de recueillir le maximum d'informations sur la réception. Pendant ce temps, Boris avait acheté la caméra espionne et il se démenait pour réunir tous les composants nécessaires à son plan.

16:00

Impatient de voir arriver Boris et Winter, je suis retourné dans l'appartement où je me suis affalé devant la télévision. À peine l'avais-je allumée que Winter est entrée en trombe.

– Désolée, je suis en retard. Boris me rattrape, m'a-t-elle annoncé en lui tenant la porte ouverte.

Deux secondes après, le visage rouge et dégoulinant de sueur, mon ami apparaissait à son tour.

– Bon, a-t-elle repris, le dîner commencera à vingt et une heures. On a du temps devant nous.

Tout en piochant dans un bol rempli de bretzels, elle s'est mise à nous raconter tout ce qu'elle avait appris sur la soirée.

– Le banquet est dressé dans le grand salon. Sligo a loué des tables et des chaises qu'il a ordonné de disposer en ligne. J'ai proposé de m'occuper des nappes et de la décoration florale – c'est ce qui m'a retenue. Il ne tarit pas d'éloges sur moi. Les employés du traiteur sont déjà au travail dans la cuisine. Sligo prend cette affaire très au sérieux. Vous vous rappelez qu'il compte organiser le bal du conseil municipal chez lui à la Saint-Sylvestre ? À mon avis, il envisage ce banquet comme une répétition. Il m'a demandé de servir les boissons au bord de la piscine, vers vingt heures trente.

– Tu as réfléchi à un endroit où nous cacher ? a demandé Boris.

– Oui. Le débarras de la piscine me semble le lieu idéal. Il vient d'être construit. Il est quasiment vide. En général, la porte est fermée à clé, mais je m'arrangerai pour la laisser ouverte. Dès que les invités passeront à table, vous pourrez vous y installer.

Boris n'a pas bronché, j'ai donc acquiescé.

– Ton idée me paraît bonne. En plus, on ne sera pas loin de toi, au cas où il y aurait... euh... un problème.

– Je préfère ne pas y penser. Je suis déjà assez nerveuse, a-t-elle protesté. Regarde, je tremble comme une feuille.

J'ai serré ses mains dans les miennes. Elles étaient glacées.

– Ne t'inquiète pas, tu réussiras!

16:29

En moins d'une demi-heure, le studio de Winter s'est transformé une nouvelle fois en atelier. La table disparaissait sous les outils tandis que la rallonge d'une perceuse serpentait sur le sol.

Avec une petite mèche, Boris a percé le dos de la perle centrale du collier de Winter. Puis avec une mèche plus fine, il a ménagé, sur la face, une ouverture minuscule destinée à l'objectif. Ensuite il a introduit la caméra et le micro.

L'étape suivante consistait à passer le câble le long du fil des perles, afin de le camoufler.

Winter a refermé le collier autour de son cou.

– Voilà. Qu'est-ce que vous en dites?

– On distingue le câble du micro, ai-je remarqué. Il faut vraiment qu'il soit invisible.

– Tu le vois parce que tu le cherches, a rétorqué Boris. Winter, tu seras obligée de mettre une veste ou un vêtement qui te couvre le dos. L'appareil est bien fixé. Rien ne peut se détacher. On va faire un essai.

145

Il a extrait son ordinateur de son sac avant d'énoncer ses dernières instructions :

– Pour actionner la caméra, il te suffit de presser le bouton de la batterie cachée sous ta ceinture.

Une fois prête, Winter est sortie sur le toit terrasse en refermant la porte derrière elle. Les yeux rivés sur l'ordinateur, Boris et moi avons patienté.

Tout à coup, une image grise à l'aspect granuleux a empli l'écran : une vue du toit terrasse, puis de la ville, et des jardinières. Le décor changeait au fur et à mesure que Winter se déplaçait, comme les séquences saccadées d'un vieux film en noir et blanc.

J'ai assené une grande claque sur l'épaule de Boris.

– Génial !

La voix de Winter s'est élevée :

– J'espère que vous m'entendez tous les deux.

Elle a dû se tourner brusquement parce que, après une légère secousse, la caméra a effectué un panoramique. À présent, la ville avait laissé place au carillon de Winter, puis la porte du studio s'est rapprochée de plus en plus… jusqu'à s'ouvrir sur nous.

– Alors ? a demandé Winter.

– On te recevait cinq sur cinq ! l'ai-je rassurée, le sourire aux lèvres.

Boris s'est redressé pour lui tapoter timidement l'épaule.

– Parfait! a-t-elle lancé. Et maintenant, voilà comment vous introduire chez Sligo...

Villa de Vulkan Sligo

19:43

Nelson Sharkey avait accepté de nous conduire chez Sligo et de stationner dans les parages pour nous offrir un repli d'urgence en cas de besoin. Assis à côté de Boris, la peur me nouait le ventre, je serrais les dents en m'efforçant de faire le vide dans mon esprit. Si je réfléchissais au danger que nous affrontions en nous jetant dans la gueule du loup, je craignais de vomir.

Sharkey a ralenti puis arrêté sa voiture à quelques centaines de mètres du domicile du truand.

– OK, les gars. Je n'irai pas plus loin. J'attends ici que vous ressortiez.

– Si on ressort... a marmonné Boris.

Face à nous s'étendait un immense terrain vague. Bientôt, à cet endroit, une propriété semblable à celle de Sligo jaillirait de terre en un temps record. Un peu plus loin, sur notre droite, j'ai reconnu le Corner Café où Winter puis Dep m'avaient rejoint avant le vol du Joyau Ormond.

Pour l'instant, il n'y avait aucune voiture garée dans la rue. Les invités de Vulkan Sligo n'étaient pas encore arrivés.

Revêtus de noir de la tête aux pieds, chargés de nos sacs à dos, Boris et moi nous sommes glissés dehors pour nous engouffrer dans l'allée qui bordait l'arrière de la propriété de Sligo. D'après Winter, la sécurité se concentrerait sur l'entrée principale, ce qui nous laissait le champ libre.

J'ai repéré la porte dont elle avait parlé et qui, comme convenu, n'était pas verrouillée. Les lieux correspondaient rigoureusement à la description qu'elle avait faite. Sous nos yeux s'étendait la surface miroitante de l'immense piscine éclairée par des projecteurs immergés. Tout autour, une vaste terrasse flanquée de lanternes en bambou se prolongeait jusqu'à la maison. Nous distinguions des silhouettes à l'intérieur d'une pièce, mais de loin, il était difficile de les reconnaître.

Le débarras ne se trouvait qu'à quelques mètres de la porte que nous venions de franchir. C'était un petit bâtiment construit dans le même bois que le revêtement de la terrasse. Nous nous sommes faufilés à l'intérieur avant de refermer la porte derrière nous.

– Impossible de respirer là-dedans, a ronchonné Boris. Qu'est-ce qui nous a pris de jouer les espions ?

Je pensais la même chose, cependant il fallait à tout prix tenir le coup.

– Trop tard pour changer de plan, ai-je décrété.

Une étroite fenêtre laissait filtrer assez de lumière pour qu'on distingue un stock de produits pour piscine entassés dans un coin. Le local abritait un souffleur de feuilles et d'imposantes cisailles de jardinier. Rien d'autre. Boris et moi avons bâti à la hâte une barricade avec des sacs de sel pour nous dissimuler.

Ensuite, Boris a allumé son ordinateur.

Au même instant, des pas ont retenti.

– On vient ! a-t-il soufflé à mon oreille en rabattant aussitôt l'écran.

La porte s'est ouverte. Je me suis aplati sur le sol. À côté de moi, Boris tremblait comme une feuille. Ou bien était-ce moi ?

Il y a eu des bruits métalliques, puis les pas se sont éloignés et la porte a claqué. Quelques secondes plus tard, le souffleur de feuilles s'est mis en marche dans le jardin.

– La dernière touche avant l'arrivée des invités, ai-je chuchoté.

Sachant qu'on ne tarderait pas à ranger le souffleur à sa place, nous n'avons pas bougé d'un millimètre. Le ronronnement du moteur s'est tu au bout d'une dizaine de minutes puis une voix, celle de Sligo, a crié un ordre depuis la maison :

– Vérifie s'il faut remettre du sel dans la pis-cine pendant que tu y es !

Horrifiés, Boris et moi nous sommes dévi-sagés. Si l'intrus se servait dans notre barri-cade de fortune, il ne manquerait pas de nous découvrir.

– Qu'est-ce qu'on fait ? a sifflé Boris, terro-risé. Quelle idée d'entretenir la piscine mainte-nant ! Il est dingue, ce mec.

Les pas se sont à nouveau approchés.

– Il faut le maîtriser, ai-je lancé. La surprise jouera en notre faveur. On va lui sauter dessus, l'attacher et le bâillonner avec...

Quand la porte s'est ouverte, nous étions tou-jours aplatis sur le sol, mais je me tenais prêt à bondir.

Après avoir reposé à grand bruit le souffleur de feuilles, le type a poussé un grognement de satisfaction, comme s'il était soulagé de pouvoir enfin s'asseoir.

Que se passait-il ? Il restait immobile. J'ai risqué un coup d'œil.

C'était Bruno ! Il s'offrait une pause, ni vu ni connu.

S'il se relaxait, ce n'était pas notre cas. Le visage collé au sol dans les grains de sel et la poussière, je sentais mon nez me chatouiller.

Oh non ! Je n'allais pas éternuer maintenant ! Je me suis pincé les narines pour refouler l'en-vie qui me démangeait les sinus. Boris m'a jeté un regard suppliant.

On se serait crus dans un mauvais film. L'éternuement menaçait d'exploser. D'une seconde à l'autre, nous allions être découverts !

Tout à coup, quelqu'un a fait irruption dans le local.

– Qu'est-ce que tu trafiques ? a interrogé la voix de Winter. Sligo te réclame. Il est furieux !

Poussant un grognement, Bruno est sorti en vitesse. Le claquement de la porte a couvert le bruit qui jaillissait de ma bouche. Soulagé, j'ai roulé sur le dos.

– Je croyais Gilet Rouge en prison ? s'est étonné Boris.

– Il doit être en liberté conditionnelle, il a un patron influent. Winter le surveillait sans doute. Elle nous en a débarrassés à temps.

– On a eu très chaud, mec.

20:39

Le brouhaha s'intensifiait sur la terrasse au fur et à mesure que les invités arrivaient. De notre cachette, Boris et moi percevions des portières qui claquent, des tintements de verres et des bribes de conversations.

Une fois tout le monde entré dans la maison, le jardin a retrouvé son calme et nous nous sommes détendus.

Pourtant, au bout de quelques minutes, j'ai lancé à Boris :

– Bon sang ! Qu'est-ce qu'elle attend ?

La nervosité me gagnait à nouveau. J'avais peur de rater un épisode important.

– Patience, mec.

21:05

L'écran de l'ordinateur demeurait désespérément vide.

– Tu es sûr de ton programme ? me suis-je inquiété. Elle aurait déjà dû déclencher la caméra.

– Cool, mec. Tout est en ordre. Elle n'a qu'à appuyer sur le bouton...

Et soudain, comme si Winter nous avait entendus, une image est apparue : Sligo et ses invités se pressaient autour de la longue table occupant le centre du salon.

– Ça y est ! Nous y voilà ! ai-je soufflé.

Certains convives étaient assis, d'autres encore debout. Sur la nappe se dressaient de gros bouquets de telopeas[1] et plusieurs bougies blanches. Des serviettes pliées en éventail s'alignaient de part et d'autre.

Winter proposait boissons et canapés.

Brusquement, la caméra a pivoté et révélé Sligo, qui présidait en bout de table. Il téléphonait avec son portable tandis que Bruno, vautré à côté de lui, observait attentivement le groupe des invités. Pour l'occasion, il s'était lissé les

1. Plantes australiennes composées de nombreuses petites fleurs rouges.

cheveux en arrière et avait enfilé une veste par-dessus son éternel gilet rouge.

Winter s'approchait maintenant de Sligo.

– Elle se débrouille à merveille, a constaté Boris. Elle se déplace en douceur, sans à-coups. Elle nous fait même des gros plans.

– Oh non! me suis-je exclamé. Zombie 2 est de la partie!

Winter lui a offert à boire. J'ai scruté le visage du gorille. Il a pris un verre de vin rouge sur le plateau qu'elle lui tendait sans même lever les yeux. S'il savait qu'il avait devant lui la fille qui l'avait assommé dans la casse!

Chacun devait être enfin à sa place car les serveurs ont fait leur entrée avec des soupières fumantes.

Boris m'a désigné Oriana de Witt alors qu'elle s'installait à quelques sièges de Sligo.

– La voilà! Vise le look!

Sa tignasse rousse s'enroulait sur sa tête comme une grosse masse de spaghettis maintenus en place par un peigne orné d'une profusion de plumes. On aurait dit qu'un oiseau avait plongé dans son chignon et y était resté planté. Même si nous ne pouvions distinguer la teinte de sa robe, je pariais pour le violet, sa couleur favorite. Une étrange collerette, aussi large qu'une bouée, ceignait ses épaules.

– Tiens, tiens, a fait Boris, soudain en alerte.

– Qu'est-ce qu'il y a?

– N'est-ce pas ce vieux Drake Bones que je devine là-bas ? Juste à côté de Sligo, comme s'il était son bras droit ?

– Non, tu plaisantes ?

En plissant les yeux, j'ai reconnu le notaire véreux, une fleur à la boutonnière, un petit sourire suffisant aux lèvres.

– Ils travaillent donc ensemble. Quelle vermine ! J'aurais dû me douter qu'il était plus impliqué qu'il ne le prétendait.

Sligo présentait à Bones un coffret en bois, peut-être rempli de cigares. Quel rôle jouait exactement le notaire ?

– Je ne comprends pas un traître mot de ce qu'ils disent, ai-je pesté.

– Peu importe, vieux. Pour l'instant, ils échangent sans doute des banalités.

Puis, visiblement choqué, il s'est écrié :

– Non ! Murray Durham est là, lui aussi. Murray Durham alias « Coupe-orteils » !

– Mais oui ! Pas en super forme, on dirait. Il est accompagné de son garde du corps, celui qui surveillait la maison où Winter a récupéré son médaillon.

Tous les hommes autour de la table avaient beau porter costume et cravate, leurs vêtements ne dissimulaient pas complètement les tatouages et cicatrices qui ornaient leurs cous et leurs mains. Aucun d'eux n'était irréprochable comme il aurait voulu le paraître.

Avec un rire jaune, Boris a lancé :

– Tu te rends compte, tous ces truands réunis dans le même lieu. Un vrai nid de frelons. S'ils se doutaient qu'on les espionne !

Pendant quelques minutes, nous n'avons perçu que le brouhaha des convives en train de manger et de boire. Des rires fusaient de temps à autre, mais jamais ceux de Sligo, Oriana de Witt ou Bones. Chaque fois que ces trois-là apparaissaient dans le champ de la caméra, ils affichaient des visages contrariés.

Winter rejoignait maintenant les invités à table. De sa place, nous voyions très bien Sligo, et les trois quarts de la silhouette d'Oriana de Witt.

– Super, elle a réussi à cadrer les deux personnes qui nous intéressent le plus. Les ennemis mortels partageant un repas. J'espère que Winter est assez proche pour capter leur conversation.

Les boucles d'oreille en diamant d'Oriana de Witt lançaient mille feux chaque fois qu'elle approchait la cuillère de sa bouche. La tête chauve de Sligo, qui oscillait de gauche à droite entre ses acolytes, s'est soudain penchée vers l'avocate pour écouter ce qu'elle lui chuchotait.

Aussitôt tout le monde s'est tu, ou presque. Au comble de l'excitation, Boris et moi avons échangé un regard complice. Nous entendions à peu près chaque mot échangé.

– Je suis disposée à conclure un marché avec vous, Vulkan. J'accepte de collaborer. Je dois avouer que, même si la rage a failli m'étouffer, votre manœuvre m'a fortement impressionnée. Engager des acteurs pour jouer mon rôle et celui de mon garde du corps... Chapeau! Je reconnais vous avoir sous-estimé toutes ces années.

Sligo s'est reculé, les sourcils froncés. Sous son double menton et son visage bouffi, sa cravate verte se gonflait comme un coussin. Il a reposé son verre de vin.

– Pardon?

– Un jour, il faudra m'expliquer comment vous avez réussi à contrefaire mon empreinte digitale. Mais pour l'instant, ce qui m'intrigue le plus, c'est que vous ayez réussi à vous procurer mon code secret!

L'expression de Sligo ne laissait aucun doute : il pensait qu'Oriana de Witt avait perdu la tête. Les traits crispés par la colère, il s'efforçait de garder son calme.

– Enfin voyons, ma chère Oriana! De quoi parlez-vous? Quels acteurs? Un code secret? Une empreinte? Je ne comprends rien à ces allégations absurdes.

– Oh, mon cher Vulkan, inutile de nier. J'ai visionné personnellement les bandes des caméras de surveillance de la banque. J'admets qu'ils étaient extrêmement convaincants. Bien que je n'utilise jamais cette couleur de rouge à lèvres.

– Je souhaite conclure une affaire avec vous et vous délirez sur des histoires d'acteurs et de rouge à lèvres! Ne me faites pas perdre mon temps. Et cessez de vous obstiner à créer des problèmes.

– Moi, je crée des problèmes? C'est la meilleure! a hurlé Oriana de Witt de sa voix la plus perçante. À quel petit jeu vous livrez-vous, Vulkan? J'aurais dû me méfier quand j'ai accepté votre invitation. Vous n'avez pas changé! Vous avez toujours été impossible.

L'avocate a reposé violemment son verre sur la table. Le vin rouge a jailli et éclaboussé la nappe.

L'image a tangué, comme si Winter se levait.

– Reste assise, a ordonné Sligo.

La caméra a retrouvé sa position initiale. Sligo a aboyé :

– Je pourrais vous retourner le compliment, ma chère Oriana. Vous êtes absolument impossible.

– Ha! Cessez vos « ma chère »! Inutile de vous exprimer avec cette condescendance parce que vous avez l'avantage sur moi!

De plus en plus aiguë, la voix d'Oriana de Witt prenait des accents menaçants.

– J'en sais beaucoup sur vous, Vulkan Sligo. Beaucoup.

Puis avec un geste théâtral, elle a craché :

– Ce n'est pas ce costume de luxe qui cachera le sang qui vous salit les mains.

Le visage écarlate, Sligo a abattu son poing sur la table. Plus personne n'osait ouvrir la bouche.

– Comment osez-vous m'accuser ? Vous êtes folle à lier !

– Non, je suis avocate. Vous n'allez pas me faire avaler que vous avez organisé ce banquet dans le seul but de me divertir. J'étais persuadée d'avoir protégé ce que vous convoitiez, mais il a fallu que vous veniez vous servir !

– Qui essayez-vous de duper, maître de Witt ? Je sais que vous possédez ces satanés objets. Arrêtez votre numéro, vous n'êtes pas au tribunal ! Si je vous ai invitée ce soir, c'est pour parvenir à un arrangement. Je n'aimerais pas qu'il vous arrive malheur, aussi je vous conseille de coopérer.

– Et maintenant des menaces ? a sifflé Oriana de Witt sur un ton aussi tranchant qu'une lame de rasoir.

Boris a froncé les sourcils.

– Qu'est-ce qu'il se passe ? Je ne comprends pas à quoi joue Sligo.

– Reconnaissez que vous m'avez volé l'Énigme et le Joyau, a repris l'avocate sans se démonter.

– C'est vous qui me les avez volés. Mythomane ! Espèce de sorcière !

J'ai attrapé le bras de Boris.

– Mince alors ! Incroyable ! Elle croit qu'il les a...

– … et lui croit que c'est elle ! Mais tu ne les as pas non plus… Alors, qui ?

La situation devenait complètement dingue ! Quelqu'un d'autre était donc impliqué ? Un million de possibilités, toutes plus démentes les unes que les autres, se sont mises à tourbillonner dans ma tête.

Sur l'écran de l'ordinateur, un homme en costume sombre s'est soudain matérialisé derrière Sligo. Il s'est penché pour chuchoter à son oreille. Bones a commencé à se tortiller quand Sligo, le front couvert de sueur, lui a transmis l'information. Et, brusquement, j'ai vu le tuteur de Winter bondir de son siège puis se jeter sur Oriana de Witt qu'il a pratiquement arrachée de sa chaise.

Sumo s'est interposé pour la protéger.

– Cette pièce est sur écoute ! a hurlé Sligo. Mon chef de la sécurité vient de me prévenir que quelqu'un porte un micro.

Il a agrippé l'épaule de Gilet Rouge.

– Bruno, fouille-les ! Tout le monde debout ! Le banquet est terminé.

Et, se retournant vers son ennemie, il a tonné :

– Si jamais vous avez posé des micros chez moi…

– Moi ? Vous êtes malade !

Tout à coup, les images se sont mises à valser dans tous les sens, puis la retransmission a été coupée. Silence.

– Winter ! me suis-je écrié. Sligo va la démasquer !

– C'est la cata, mec...

Sans réfléchir, j'ai ouvert la porte du local, prêt à sauver notre amie. Boris m'a retenu par le bras.

– Qu'est-ce que tu fabriques ? Tu as envie qu'on se fasse capturer ?

Des cris fusaient de la maison.

– Rassieds-toi ! Attendons que les invités soient partis. On ne peut rien tenter pour l'instant.

22:31

Au bout d'une éternité, n'entendant plus le moindre bruit en provenance de la maison, nous avons jailli du local technique, couru à la porte du jardin, dévalé le chemin et inspecté la route.

Nous avons aussitôt reculé en voyant Oriana de Witt et son homme de main poussés dans la Mercedes bleu foncé par le service de sécurité de Sligo. La chemise de Sumo était déchirée – suite à la recherche des micros sans doute. Les portières ont claqué, le moteur a rugi puis la berline a filé sur les chapeaux de roues.

Il n'y avait plus personne dans le jardin, ni dans la rue. Les invités s'étaient sûrement empressés de disparaître. Aucune trace de Sligo. Quant à Winter, elle restait introuvable.

Si on l'avait surprise à espionner les plus grands truands de la ville… L'effroi et l'horreur m'ont submergé à l'idée qu'elle risquait de plonger dans la cuve à mazout.

Ma capuche rabattue sur le front, j'ai traversé la route au pas de course, suivi de Boris, pour rejoindre la voiture de Sharkey. Soudain, mon attention a été attirée par un objet sur le trottoir. Je me suis arrêté net. Boris a failli me rentrer dedans.

– Qu'est-ce qui te prend ?

Je lui ai désigné le collier cassé auquel il manquait plusieurs perles – les autres étaient toujours enfilées sur le câble de la caméra. Le minuscule objectif n'avait pas bougé, toutefois les fils et la batterie avaient disparu. Winter avait-elle réussi à s'en débarrasser elle-même, ou Sligo le lui avait-il arraché du cou ?

– Cal ! Boris ! Par ici !

Penchée à la portière de la voiture de Sharkey, Winter nous interpellait.

– Dépêchez-vous !

À peine étions-nous montés, enchevêtrés à l'arrière, que Sharkey a écrasé la pédale de l'accélérateur, passant en trois secondes de zéro à cent kilomètres à l'heure.

– Tu es saine et sauve! me suis-je écrié, soulagé.

Tandis que je me redressais sur la banquette, Boris enjambait la console centrale pour s'asseoir à l'avant.

– Mais oui, a répondu Winter en bouclant sa ceinture de sécurité. Sligo était si furieux qu'il n'a même pas remarqué que je m'éclipsais. Nelson, vous pouvez nous déposer chez moi?

– D'accord! Et vous, les garçons, ça va?

– Très bien, l'a rassuré Boris. Félicitations, Winter. Tu as fait du beau boulot. La caméra a parfaitement fonctionné.

– Mon Dieu! Je l'ai perdue! s'est-elle écriée en portant la main à sa gorge.

– Non, regarde.

Je lui ai tendu son collier aux perles cassées.

– Merci, Cal. Heureusement qu'il n'est pas tombé dans la maison ou le jardin! Tiens, Boris, je te rends ton matériel.

Elle a glissé une main derrière son dos pour arracher la batterie fixée à sa ceinture.

– Comment s'est terminé le banquet? ai-je voulu savoir. La dernière image qu'on a vue, c'est Sligo hurlant que sa maison était sur écoute.

– Quel chaos! J'en ai encore des sueurs froides. Je n'avais aucune envie qu'on me surprenne en train d'espionner mon... *bien-aimé*

162

protecteur ! J'ai profité de la confusion pour disparaître au premier étage.

– Dans le bureau de Sligo ?

– Exactement. Alors, vous avez entendu sa conversation avec Oriana de Witt ?

Je me suis demandé si elle changeait de sujet exprès.

– Ni l'un ni l'autre ne détient le Joyau et l'Énigme, a poursuivi Winter. Vous vous rendez compte ?

– Incroyable, a commenté Sharkey. Quelqu'un s'est montré plus futé qu'eux. Qui ?

– Mystère, ai-je conclu.

J'ai baissé ma vitre pour respirer un peu d'air frais avant d'ajouter :

– Je parie sur Drake Bones.

Puis, croisant le regard perplexe de Sharkey dans le rétroviseur, j'ai expliqué :

– Il assistait au dîner, placé à la droite de Sligo, comme son conseiller personnel.

– La culpabilité de Bones ne m'étonnerait pas, a renchéri Boris. Il a très bien pu procéder à l'échange dans le funérarium de son frère, subtiliser l'Énigme et le Joyau dans le sac à dos de Cal puis les remplacer par des faux avant qu'Oriana de Witt s'en empare. L'avocate s'est fait doubler. Elle croyait conserver les originaux dans son coffre-fort. N'oubliez pas que très peu de gens savent précisément à quoi ils ressemblent.

Boris avait prié Sharkey de le raccompagner chez lui. Une fois seuls, assis sur le canapé à côté de Winter, j'ai pris ma décision :

— Prochaine étape, on fouille chez Bones.

Elle n'a pas réagi.

— Winter ? Tu dors ?

— Oh, pardon, s'est-elle excusée en se redressant. La journée a été longue. Tu parlais de Bones. Tu veux inspecter sa maison ou son bureau ?

J'ai répondu :

— Les deux. Bien que je sois à peu près certain qu'on ne trouvera rien chez lui après notre expédition de l'autre soir. On devrait d'abord essayer son bureau.

— L'entreprise risque d'être ardue. Tant qu'il s'agissait de la propriété de Sligo, je pouvais t'aider. Pénétrer dans l'étude d'un notaire, c'est très difficile. Surtout dans la Pacific Tower.

Je me suis calé contre le dossier du canapé et, tout en sirotant une tasse de chocolat chaud, j'ai réfléchi.

— Si je l'abordais sans détour ? ai-je suggéré. Je lui annoncerais que j'ai choisi de me rendre et de tout déballer, que j'en ai marre de vivre en cavale, que j'ai besoin de son soutien.

– Sauf que s'il détient l'Énigme et le Joyau, il n'a pas besoin de toi, Cal.

J'ai secoué la tête.

– Il lui manque des éléments essentiels pour décrypter le DMO. Les deux derniers vers de l'Énigme par exemple, ou le contact avec le conservateur des livres rares du Trinity College, à Dublin. Il ne possède pas les véritables dessins et il ignore l'existence de la feuille de calque où sont inscrits les noms G'managh et Kilfane. Je pourrais les utiliser comme appât.

– Pourquoi pas ?

Winter avait l'air absente. Tout à coup, elle m'a demandé :

– Tu t'es inquiété pour moi ? Quand le banquet a tourné à la catastrophe ?

– Évidemment. J'étais aux cent coups !

– C'est gentil. Très gentil, a-t-elle affirmé en jouant avec un fil qui dépassait d'un coussin.

– Tu te sens bien, Winter ? Qu'est-ce que tu as ? Quelque chose te tracasse ?

Elle a arraché le fil d'un coup sec et grogné :

– Eh bien… oui. Lis plutôt.

Elle a extirpé de son sac un bloc-notes qu'elle a jeté sur la table où il a atterri avec un bruit sec.

– Je l'ai découvert au fond d'un tiroir, dans le bureau de Sligo.

La première feuille était vierge.

– Va à la fin.

J'ai suivi ses instructions et constaté que les dernières pages étaient couvertes d'une signature répétée un nombre incalculable de fois.

Médusé, j'ai dévisagé Winter :

– Qui est Charles Frey ? Ton père ?

Elle a acquiescé.

– Dès qu'il est arrivé en Australie, il a changé son nom de famille, Fong, en Frey. Charles Frey.

J'ai examiné les signatures avec soin. Les premières étaient moins affirmées que les dernières. Winter fixait sur moi ses grands yeux noirs et inquiets.

– Sligo s'est exercé à imiter sa signature ! ai-je soufflé.

– Exactement.

– Il n'a pu avoir qu'une intention pour agir ainsi.

– Réaliser des faux, a conclu Winter.

Il m'a soudain semblé que tout s'obscurcissait autour de moi. J'aurais voulu réconforter Winter mais aucune parole satisfaisante ne me venait à l'esprit.

Finalement, elle s'est roulée en boule sur le canapé, tout contre moi, puis a fermé les yeux avant de sombrer dans un profond sommeil.

10:20

— Aujourd'hui, Drake Bones sera absent de son bureau entre midi et deux, m'a annoncé Winter en me secouant.

La veille, elle s'était endormie sur le canapé. Après l'avoir recouverte d'une couette, j'étais allé m'écrouler dans son lit.

En ouvrant les yeux, j'ai été surpris de voir l'appartement sous un autre angle. Je me suis frotté les paupières.

— Comment tu le sais ?

— Facile. La réceptionniste vient de me l'apprendre. J'ai appelé l'étude pour solliciter un rendez-vous urgent et cette pipelette m'a confié qu'il était là ce matin, s'en irait à midi pour assister à une réunion, reviendrait à quatorze heures, mais ne pourrait recevoir personne parce qu'il avait une série de téléconférences prévues avec ses associés, tous en déplacement dans d'autres États[1]!

Elle a marqué une pause, le temps de reprendre sa respiration, puis ajouté :

– Cal, les bureaux seront pratiquement déserts!

– Génial! Quelle heure est-il?

– Dix heures et demie. Prépare-toi, on y va.

Pacific Tower

11:55

Vers midi moins le quart, Drake Bones a quitté la Pacific Tower en coup de vent et hélé un taxi. Dès que celui-ci a disparu au coin de la rue, nous sommes entrés dans l'immeuble puis montés au cinquième. Winter m'a conseillé de rester en retrait tandis qu'elle s'occupait de la réceptionniste.

Je n'avais aucune idée de la façon dont elle comptait détourner son attention, mais je lui faisais confiance. Elle m'a adressé un clin d'œil avant de pousser la double porte en verre de l'étude Bones & Associés.

1. L'Australie est un vaste État fédéral composé de six États et de plusieurs territoires.

J'avais les mains moites. Le paquet que je portais, dans l'espoir de passer une fois de plus pour un coursier, me collait aux paumes. Tête baissée, j'ai fait mine de téléphoner en guettant le moment propice.

Il n'y avait que deux sociétés au cinquième étage : un cabinet de comptabilité à gauche, et l'étude de notaires, à droite. Entre les deux, face à l'ascenseur, se trouvait une élégante banquette en cuir noir. J'ai appuyé le paquet à côté de la banquette et, tout en tripotant le lacet de ma chaussure, tourné la tête vers la réception. Winter discutait avec la femme assise derrière le comptoir, une certaine Dorothy Noonan, d'après la plaque posée devant elle.

– Oui, j'ai toujours rêvé d'être notaire, racontait Winter avec aisance. Je me suis dit que ce serait une bonne idée d'effectuer un stage dans une étude de Richmond. Je pourrais venir travailler après mes cours, une ou deux fois par semaine.

Un large sourire a étiré mes lèvres : nous devenions de véritables champions du subterfuge.

Après m'être assuré que la voie était libre, je me suis dirigé à quatre pattes vers la réception, frôlant au passage le comptoir et les jambes de Winter. Mon assurance s'est évanouie quand je me suis aperçu que les cloisons de la pièce réservée à Bones étaient en verre ; je serais complètement exposé aux regards.

Je me suis relevé en silence avant d'ouvrir la porte pour pénétrer à l'intérieur. Aussi discret qu'un fantôme, j'ai contourné le bureau puis je me suis accroupi derrière.

J'ai entrepris de fouiller méthodiquement les tiroirs, à la recherche de l'Énigme et du Joyau. La sueur perlait sur mon front et dégoulinait dans mon dos. Au moindre accroc, je me retrouverais illico entre les mains de la police.

Au bout de plusieurs minutes, je n'avais toujours rien repéré de significatif. Heureusement, la réceptionniste semblait captivée par la conversation de Winter. Je l'entendais rire !

– Oh oui, je le sais bien, ma jolie, abondait-elle. Quand j'avais votre âge, j'ai travaillé comme stagiaire dans un laboratoire de produits de beauté, et c'était exactement la même chose.

Winter avait réussi l'opération diversion.

La fouille du bureau achevée, je me suis attaqué à la bibliothèque. Alors que je tâtonnais derrière des livres, mes doigts ont fini par rencontrer un objet métallique. Je l'ai extirpé de sa cachette. Il s'agissait d'un petit coffret en métal. À l'intérieur, une enveloppe adressée à Drake Bones. Et sur l'enveloppe, des timbres irlandais.

Une lettre d'Irlande !

Je l'ai parcourue en diagonale. Un mot m'a tout de suite sauté aux yeux : la lettre provenait de Graignamanagh, Tipperary. Or, sur la feuille de calque trouvée dans la valise de mon père, l'un des deux noms était justement G'managh!

Soudain la voix de la réceptionniste s'est rapprochée :

– Je vous le photocopie, j'en ai pour une seconde à peine.

Dorothy Noonan est alors apparue dans mon champ de vision. Aussitôt, je me suis jeté par terre pour me dissimuler sous le bureau. Dans ma précipitation, j'ai renversé un verre rempli de crayons et de stylos qui se sont répandus sur le sol. Le bruit a alerté la réceptionniste.

– Tiens, qu'est-ce qui s'est passé?

– Un courant d'air, sans doute, a déclaré Winter.

Elles étaient maintenant toutes les deux dans la pièce.

– Ne bougez pas, je m'en occupe!

– Oh, merci, mon chou. Maître Bones aime que son bureau soit impeccable.

Dès qu'elle est ressortie, Winter a plongé pour ramasser les crayons et les stylos. Son visage tout près du mien, elle a chuchoté :

– Sors vite. Bones va revenir plus tôt que prévu et je ne peux pas m'éterniser davantage! Il ne faut surtout pas qu'il me voie!

– Qu'est-ce que vous dites, ma jolie?

– Rien, rien, j'ai fini.

Winter s'est relevée, a remis le pot à crayons en place puis a rejoint la réception.

En quittant ma cachette, je me suis cogné la tête contre un levier métallique. À quoi servait-il ? Je me suis reculé pour l'abaisser. Un clic s'est produit, suivi d'un ronronnement. Un tiroir logé dans le bureau est descendu.

Un tiroir secret !

Mes mains, rendues tremblantes et maladroites par le stress, se sont activées pour trouver le système d'ouverture jusqu'à ce qu'elles sentent une poignée, que j'ai tirée. Le compartiment contenait un unique dossier, d'une épaisseur impressionnante. J'ai cligné des yeux plusieurs fois pour m'assurer que je ne rêvais pas. Sur la couverture était inscrit : « Généalogie des Ormond ».

Fébrile, je me suis emparé du dossier pour le feuilleter en vitesse.

Ainsi Bones rassemblait des informations sur ma famille depuis des dizaines d'années ! Il y avait là des récits manuscrits datant d'époques très anciennes, et les arbres généalogiques des descendants d'un fils de Black Tom, Piers Duiske de l'Abbaye de Duiske, né en 1554. Il y avait aussi plusieurs lettres de notaires et d'avoués irlandais. Conscient que je devais filer, j'allais replacer les documents dans leur chemise quand je suis tombé sur ces quelques lignes :

... trop difficile d'accéder à toutes les informations codées, il serait préférable d'entreprendre une recherche parmi les ruines des forts et mai-

sons construits par le dixième comte dans la région de Carrick-on-Suir. En nous attaquant directement à la fouille des lieux envisageables, nous trancherons le nœud gordien et éviterons une perte de temps en décryptages fastidieux.

Mes doigts tremblaient tellement que j'ai eu un mal fou à glisser le dossier dans son compartiment secret.

Dorothy s'affairait toujours autour de la photocopieuse, sans cesser de jacasser. Winter, qui hochait poliment la tête, m'a aperçu et fusillé du regard.

C'était risqué, mais il me restait quelque chose à vérifier. J'ai ouvert le meuble-classeur contenant les dossiers des clients de Bones pour fouiller à la lettre « F ». Puisque le notaire et Sligo semblaient de mèche, il détenait peut-être un dossier sur la famille de Winter.

Fredericks. French. Friedman...

Pas de Frey.

J'ai à nouveau jeté un coup d'œil vers la photocopieuse. Winter ne me quittait plus des yeux.

– Moi, je m'en vais ! a-t-elle articulé en silence.

Cette fois, elle a passé un doigt en travers de sa gorge pour insister sur le danger encouru.

J'ai entendu l'ascenseur. Était-ce Drake Bones qui rappliquait ? Soudain, une idée m'a traversé l'esprit en un éclair. Mes doigts ont parcouru les piles de documents à la recherche d'un autre nom. Fisher. Fitzpatrick. Foley. Fong...

Charles Fong! J'en croyais à peine mes yeux. Je me suis emparé du dossier, que j'ai fourré dans mon sac à dos.

L'ascenseur s'était sans doute arrêté au quatrième étage. J'ai couru à la porte. Dorothy me tournait le dos et tapait sur son clavier. Une feuille froissée en boule dans la corbeille à papier a attiré mon attention. Je l'ai attrapée, enfoncée dans ma poche puis, à genoux, je suis ressorti de l'étude en rampant de nouveau devant le comptoir de la réception.

L'ascenseur atteignait le cinquième étage. Je devais disparaître de toute urgence!

J'ai traversé le palier en vitesse, dépassé l'ascenseur au moment où les portes commençaient à s'ouvrir, et foncé dans la salle d'attente du cabinet de comptabilité où je me suis affalé sur une chaise. À travers la vitre, j'ai aperçu Bones sortir de la cabine et entrer dans son bureau, non sans avoir jeté un bref coup d'œil dans ma direction.

– Puis-je vous aider? m'a demandé un employé qui venait d'apparaître.

– Oh, pardon. J'ai dû me tromper d'étage.

Et je me suis rué vers l'ascenseur.

Mais quelqu'un l'avait appelé au rez-de-chaussée. J'ai poussé un juron, pressé le bouton et louché vers l'étude. Dans combien de temps le notaire remarquerait-il la position anormale de son tiroir secret?

Je bouillais d'impatience au fur et à mesure que les portes de l'ascenseur s'ouvraient aux étages inférieurs et que le chuintement de la cabine s'élevait.

Toujours aucune réaction de Bones.

– Allez, dépêche-toi, ai-je marmonné.

L'ascenseur mettait un temps fou à remonter.

Tout à coup, une explosion de hurlements a retenti chez Bones & Associés. Une salve d'imprécations a précédé le notaire qui a surgi comme un fou hors de son bureau avant de fondre sur moi, un poing levé, le visage convulsé de fureur. Par chance, l'ascenseur arrivait.

– Hé, toi ! Reviens ici, fripouille !

J'ai sauté dans la cabine et enfoncé le bouton du rez-de-chaussée, mais les portes ont coulissé avec une lenteur désespérante. Bones a réussi à coincer un pied dans l'interstice et à rouvrir les portes en les écartant avec ses mains. Il a bondi en avant pour me saisir à la gorge.

– Qu'est-ce que tu m'as volé ?

– Rien du tout ! Lâchez-moi ! ai-je protesté en me débattant.

L'ascenseur a entamé sa descente.

– C'est ce qu'on va voir ! Je vais te livrer à la police. Tu m'as fait chanter une fois, ça ne marche plus. Je vais en finir une bonne fois pour toutes avec toi, sale voyou. On te fichera derrière les barreaux et on jettera la clé dans un puits. Et moi je profiterai de toutes les merveilles dont la

Singularité Ormond m'aura comblé pendant que tu pourriras au fond d'une prison de haute sécurité. Dès que j'aurai mis la main sur le trésor, je t'enverrai une carte postale!

Bones était doté d'une force surprenante. J'avais beau tenter de desserrer ses doigts, il me cramponnait toujours quand nous avons atteint le rez-de-chaussée.

Ce qui s'est passé ensuite m'a fait l'effet d'une scène de film au ralenti. Winter, coiffée d'une perruque blonde coupée au carré, s'est matérialisée devant moi, escortée de Boris. Ils se sont engouffrés dans la cabine pour se jeter sur Bones qu'ils ont décollé du sol.

– Casse-toi, mec! a hurlé Boris.

D'une violente secousse, je me suis dégagé de mon sweat que j'ai abandonné entre les mains du notaire bloqué dans un angle par mes amis.

Je me suis glissé entre eux. Surprises, deux personnes qui s'apprêtaient à monter dans l'ascenseur ont reculé d'un bond.

– Arrêtez-le! Arrêtez ce garçon! glapissait Bones tout en distribuant des coups de pied et des coups de poing. C'est Cal Ormond! L'ado-psycho!

– Grouille! s'est écrié Boris.

Je culpabilisais de les laisser se débrouiller seuls, mais je n'avais pas le choix. J'ai filé sans demander mon reste.

14:45

Je suis retourné chez Winter. En attendant mes amis, j'ai sorti de ma poche la boule de papier que j'avais récupérée dans la corbeille de Bones et l'ai défroissée.

C'était une liste de surnoms, dont il avait rayé les premiers.

COUPE-ORTEILS

DIABLESSE

M'AS-TU-VU

EAU-PROFONDE

DOUBLE-JEU

PETIT-PRINCE

– Nous voilà! a claironné Winter en entrant avec Boris. Le pauvre Bones n'avait aucune chance contre nous.

Les bras repliés pour faire saillir leurs biceps, ils ont adopté une pose ridicule de culturistes.

– Sérieusement, Cal, qu'est-ce qui t'a pris de me laisser tenir la jambe aussi longtemps à la réceptionniste? Elle est gentille, mais incroyablement soûlante. J'espère que mes efforts en valaient la peine. Tu as trouvé quelque chose?

– Et comment! Ce type conserve un dossier complet sur ma famille, plus épais qu'un annuaire de téléphone. Il a dû rassembler des informations depuis des décennies. Sa généalogie des Ormond remonte à 1554. Elle n'a sans doute plus de secrets pour lui.

– Tu as découvert des éléments sur l'Énigme et le Joyau?

– Non. En revanche, Bones a reçu une lettre d'Irlande, plus précisément de Graignamanagh. Ce nom évoque celui inscrit sur le calque : G'managh. Et j'ai repêché cette liste de surnoms dans la corbeille à papier.

– Rien d'autre?

– Si... Un dossier au nom de ton père. À son nom d'immigrant.

Livide, Winter s'est lentement assise sur le canapé, sa jupe l'entourant comme un nuage vaporeux.

– Tu l'as lu?

– J'ai pensé qu'il t'appartenait de l'examiner en premier.

J'ai extirpé de mon sac à dos la chemise en carton un peu gondolée que je lui ai tendue. Elle l'a prise avec autant de précautions que si elle manipulait une grenade susceptible d'exploser, puis s'est plongée un long moment dans la lecture des documents.

Boris et moi avons patienté sans mot dire.

– C'est son testament? ai-je fini par souffler.

– Oui, a-t-elle murmuré, les yeux pleins de larmes. Il est conforme à ce que Sligo m'avait expliqué. Tout lui revient. Il est désigné comme mon tuteur, doit régler mes dépenses et me fournir une pension.

– Comment ça ? me suis-je étonné. Sligo a dit la vérité ? Le document est authentique ?

– Oui... à un détail près.

Winter nous a montré la dernière page portant la signature : Charles Frey. Le tracé paraissait très hésitant par endroits, et l'écriture ressemblait à celle du bloc-notes de Sligo.

– Un faux ? a supposé Boris.

Nous avons hoché la tête. Winter rayonnait à présent. Le sourire le plus éclatant que je lui avais jamais vu illuminait son visage. Une nouvelle énergie l'animait soudain. Ses joues pâles avaient retrouvé leur couleur.

– Quelque chose clochait. Mes parents m'adoraient. Jamais ils ne m'auraient déshéritée. C'est l'œuvre de Vulkan Sligo. Maintenant que j'en ai la certitude, je vais livrer ces preuves – le testament et le bloc-notes – à la police.

16:00

Tandis que Winter relisait le testament falsifié et que Boris téléphonait à l'extérieur, je me suis connecté sur Internet avec mon portable pour chercher la signification du nœud gordien.

Selon la légende, Alexandre le Grand aurait tranché d'un coup d'épée un nœud compliqué au lieu de perdre son temps à le démêler.

Bones avait eu accès à toutes les informations sur les Ormond en qualité de notaire de la famille. Lui aussi voulait découvrir la vérité sur la Singularité Ormond et il avait les moyens de se rendre en Irlande à tout moment. Pour franchir l'obstacle du code à double clé, il adopterait la technique du nœud gordien : il irait puiser à la source pour s'emparer de ce qui me revenait de plein droit.

Je ne disposais plus de beaucoup de temps pour le contrer. Nous n'étions que des adolescents. Toutefois, avec Boris et Winter, nous formions une équipe formidable. Nous étions capables d'affronter nos ennemis.

Winter m'a tendu la liste des surnoms.

– On dirait des noms de code. En tout cas, je connais les trois premiers.

– Coupe-orteils, M'as-tu-vu et Diablesse ?

– Coupe-orteils, on sait qu'il s'agit de Murray Durham. Pour le deuxième, M'as-tu-vu colle parfaitement à Sligo avec son besoin de reconnaissance. Quant au troisième, ce nom de Diablesse m'évoque plutôt une femme !

– Moi aussi, a renchéri Boris. Oriana de Witt, bien sûr.

Étrangement silencieux depuis qu'il avait réintégré l'appartement, il préparait un plat de spaghettis dans la cuisine.

– Voilà un mystère élucidé, ai-je conclu. À votre avis, pourquoi Bones les a-t-il barrés ? Parce qu'il compte les éliminer ? Ou parce qu'il les considère comme déjà exclus de la course à la Singularité Ormond ?

– Alors aucun d'eux ne posséderait le Joyau et l'Énigme, a déduit Winter.

Je réfléchissais intensément.

– En toute logique, notre notaire soupçonne l'une de ces trois personnes – Eau-Profonde, Double-Jeu ou Petit-Prince – de les détenir. Dans ce cas, on peut rayer de notre liste de suspects Bones lui-même. Qu'en penses-tu, Boris ?

– Pas bête, a-t-il admis d'un air sombre.

– Qu'est-ce que tu as ? Quelque chose te tracasse ?

– Sans vouloir te vexer, a ajouté Winter, tu es lugubre aujourd'hui.

Il a préféré détourner la tête en s'abstenant de répliquer. Notre quête sans fin de la vérité finissait peut-être par le miner. Pourtant, il s'est vite repris et tourné vers moi.

– Cal, il faut que je t'avoue un truc. Ça ne va pas du tout te plaire. J'ignore comment te l'annoncer.

Un mauvais pressentiment m'a serré le ventre.

– Vas-y, je t'écoute.

– Le Dr Maggot t'a contacté sur ton blog.

Soudain, le visage inquiétant de l'expert en champignons mortels est apparu devant mes yeux.

– Il a laissé un message avec un numéro de téléphone, a continué Boris. J'attendais le meilleur moment pour te prévenir. Mais il ne s'est pas présenté. J'ai décidé de l'appeler moi-même.

– Tu m'angoisses, Boris. Il est arrivé un accident à Gaby? À ma mère?

Lentement, il a tiré de sa poche une coupure de presse attachée par un trombone à une feuille imprimée.

– Je suis désolé de te montrer ces documents si tard.

Mon cœur battait la chamade quand j'ai pris les papiers. La coupure de presse était un avis de mariage.

MARIAGE

ORMOND – ORMOND

Erin Ormond et Ralf Ormond
ont le plaisir d'annoncer
leur union qui sera célébrée
le 31 octobre
en la chapelle de Whitecliff.

Hébété par le choc, j'ai relu l'annonce. Ma mère épousait mon oncle Ralf! J'en suis resté sans voix, m'efforçant d'ordonner les pensées qui se bousculaient dans ma tête.

Ralf avait fait preuve d'une grande générosité envers ma mère : il l'avait aidée à la mort de mon père et l'avait soutenue au cours des épreuves qui avaient suivi. Il avait même offert d'hypothéquer sa maison pour financer les frais de ma défense. Je le savais animé de bonnes intentions, même si je ne m'entendais pas avec lui.

Malgré tout, il était impensable qu'il épouse ma mère. C'était trop tôt. Et de toute façon, personne ne prendrait jamais la place de mon père. Pas même son frère jumeau.

Boris m'a dévisagé d'un air consterné.

– Je suis désolé, vieux.

Bouleversé, j'ai parcouru la feuille imprimée. Un autre sentiment venait désormais s'ajouter à ma confusion : la terreur.

J'ai dû relire le texte plusieurs fois. Winter a interrompu le tourbillon de mes émotions.

– Montre-moi, Cal.

Je lui ai tendu les papiers.

– Ta mère et ton oncle se marient ? La semaine prochaine ?

– Regarde l'autre feuille.

Elle a commencé à lire à haute voix :

– « *Une source sûre m'a appris qu'un tueur à gages sera présent dans la chapelle le jour de la cérémonie. Le marié…* »

Elle a levé les yeux vers moi, puis vers Boris.

– C'est la vérité ou une mauvaise plaisanterie ?

– Continue, ai-je dit. Tu en jugeras toi-même.

– « … *Le marié est la cible désignée.* » Ralf ?

– Je viens d'appeler le Dr Maggot, est intervenu Boris. Il affirme que, d'après ses contacts de la pègre, il ne s'agit pas d'une menace en l'air. Ralf se trouve en danger.

Anéantis par cette nouvelle, nous nous sommes dévisagés tous les trois.

– Il faut le prévenir, ai-je déclaré.

– Je l'ai déjà fait, a précisé Boris. Je lui ai raconté que j'avais lu l'info sur le Net.

– Et alors ?

– Il a éclaté de rire. Il a refusé de me prendre au sérieux. Il m'a rétorqué que je regardais trop la télévision et que rien ne l'empêcherait d'épouser la femme qu'il aime.

Ces mots m'ont mis terriblement mal à l'aise. Je voulais bien que Ralf s'occupe de ma mère, mais pas que mon oncle devienne mon beau-père !

– Peut-être qu'il m'écoutera, moi, ai-je suggéré.

– Tu plaisantes ! Redescends sur terre, mec. S'il m'a ri au nez, tu t'imagines qu'il va te croire ? Alors qu'il te considère comme un cinglé ?

Boris avait sans doute raison. Cependant, une question me taraudait : pourquoi Ralf serait-il la cible d'un tueur à gages ?

Je me suis souvenu du revolver que j'avais trouvé dans sa table de nuit, puis de l'agression dont il avait été victime au mois de janvier.

Ralf savait qu'il avait des ennemis.

Il fallait que je sorte, seul, pour m'éclaircir les idées.

19:22

Je suis allé sur la plage. Les vagues mugissaient et s'écrasaient à mes pieds. Tête baissée, les mains accrochées aux sangles de mon sac à dos, j'ai marché contre le vent, le cœur serré par la peur et l'angoisse.

La culpabilité m'assaillait car ce n'était pas seulement la crainte de la mort de mon oncle qui me troublait. Quelque part au fond de moi, je gardais l'espoir que ma mère, Gaby et moi pourrions retourner un jour dans notre ancienne maison et y vivre heureux. La perspective de reconstituer ma famille nourrissait ma détermination. Ce mariage signifiait la fin de mon rêve.

Cependant s'il arrivait malheur à Ralf, comment ma mère survivrait-elle à cette nouvelle perte ? Après la disparition de mon père, ma fugue et le coma de Gaby ?

Ma grand-tante Emily avait raison. La Singularité Ormond n'avait entraîné que mort et destruction au sein de ma famille. Je devais à tout prix tenter de sauver Ralf.

J'ai sorti mon portable et composé le numéro de ma mère. J'avais les mains moites et mon cœur battait à cent à l'heure.

– Allô ?

Sa voix, cette voix que je n'avais pas entendue depuis si longtemps, m'a bouleversé.

– C'est moi, maman.

– Cal ? Cal, mon chéri !

J'ai levé les yeux. Les réverbères de l'esplanade du bord de mer venaient de s'allumer et brillaient comme des étoiles dans la lumière grise du crépuscule.

– Où es-tu, Cal ? Tu vas bien ? Je m'inquiète tant pour toi.

Elle parlait sur ce ton étrangement monocorde que j'avais déjà remarqué. Le timbre enjoué, plein de vie, que je lui connaissais, avait disparu.

– Je t'ai envoyé la carte de bus de Ryan Spencer avec sa photo. Il y avait une question au dos.

– Ryan ? Qui est-ce ?

– C'est le garçon qui me ressemble trait pour trait.

Elle a eu une sorte de hoquet. Puis le silence.

– Tu m'entends, maman ? Est-ce que tu as trouvé cette carte ?

– Quelle carte ?

Elle éludait mes questions. Je n'avais pas le loisir de poursuivre. J'ai donc abordé le second sujet qui me tracassait.

– Maman, je viens d'apprendre que tu allais te remarier avec Ralf.

– Rentre à la maison, Cal. Et on en parlera.

– Je ne veux pas que tu l'épouses, mais je t'appelle pour une autre raison. Je tiens de source sûre que Ralf est en danger de mort. Un tueur à gages est chargé de l'assassiner pendant la cérémonie.

Ma mère a émis un nouveau hoquet de stupeur. Ensuite plus rien.

– Il faut annuler le mariage, ai-je insisté. Vous ne devez pas pénétrer dans cette chapelle. Je t'en prie, fais-moi confiance pour une fois.

Toujours le silence.

– Maman ? Allô ? Allô !!

Elle avait raccroché.

Je me suis écroulé sur un rocher.

Elle s'imaginait sans doute que je lui téléphonais pour semer le trouble. Une douleur atroce m'a déchiré la poitrine. La tête entre mes genoux, j'ai fermé les yeux.

« Je dois empêcher ce mariage », martelait une voix dans ma tête tandis qu'une mouette me survolait en poussant des cris stridents.

Le temps était compté. Il fallait que j'aille à Whitecliff pour étudier les lieux.

26 octobre
J –67

16:46

En chemin, j'ai appelé mon meilleur ami.

– Boris, il y a plusieurs mois, tu travaillais sur une de tes inventions censée rendre invisible, non ? Une poudre magique...

– Le projet est toujours en cours d'élaboration. Je n'ai jamais eu le temps de le finaliser.

– Tu peux m'en dire davantage ?

– Il s'agit d'un mélange de produits chimiques stockés séparément à l'intérieur d'une capsule. Grâce à un système de mise à feu, ils entrent en contact et explosent en produisant un écran de fumée impénétrable. Un peu comme un fumigène, mais beaucoup plus petit, donc plus facile à cacher.

– C'est exactement ce qu'il me faut pour passer inaperçu et créer une diversion.

– Son utilisation n'est pas sans danger, mec. Je n'ai pas mis au point la quantité exacte d'explosif nécessaire.

Je lui ai répondu fermement :

– Je dois absolument empêcher ce mariage, Boris. Et sauver Ralf.

– Mais mon détonateur est très, très expérimental, je ne l'ai même pas testé ! En ce moment, je bosse sur le programme de décodage du chiffre de César.

– Je n'ai plus le choix, Boris. J'ai besoin de ta poudre magique. Prépare-la-moi, s'il te plaît. Le code secret attendra.

Chapelle de Whitecliff

17:27

La chapelle de Whitecliff était une vieille construction en bois, célèbre pour sa cloche, vestige d'un bateau naufragé. Elle se dressait sur un cap au cœur du parc national.

J'étais passé devant la chapelle des centaines de fois, quand nous longions la côte en voiture avec mes parents. Un jour, nous nous étions arrêtés pour la visiter. Gaby et moi étions montés dans la galerie pour avoir une vue plongeante sur la nef.

Le temps que j'arrive, il faisait nuit.

Je ne m'étais jamais introduit par effraction dans une église. Je me demandais comment procéder quand j'ai remarqué que la porte était grande ouverte. Je me suis avancé à pas prudents. Une femme arrangeait des fleurs dans les vases de l'autel. M'entendant entrer, elle s'est retournée.

– Je ferme dans cinq minutes.

– Aucun problème. Je dois rédiger un exposé pour le lycée sur les églises anciennes de la région. J'ai juste quelques détails à vérifier.

Je me suis hâté de tirer de ma poche un carnet et un crayon.

Elle ne semblait pas convaincue.

– Cinq minutes seulement, a-t-elle insisté en reprenant son travail.

J'ai observé l'intérieur de l'édifice. Avec ses niches sombres abritant des statues et son autel latéral en partie dissimulé, il regorgeait de recoins où se cacher. Mais le tueur se mêlerait peut-être à la foule des invités, remplirait son contrat, puis profiterait de la confusion générale pour s'échapper.

Je me suis retourné face à la tribune. Il pouvait aussi monter à l'étage et attendre derrière l'orgue, avant de surgir à la dernière seconde, l'arme au poing.

Comment l'en empêcher ? Et m'en sortir vivant ?

30 octobre
J –63

12 Lesley Street

`08:20`

– C'est demain le grand jour, Cal, a lancé Winter.

Nous étions assis tous les trois autour de l'arsenal que Boris m'avait apporté et nous le fixions des yeux.

– Demain soir, a corrigé Boris. La cérémonie ne commencera pas avant vingt heures. Elle se déroulera dans l'intimité. J'ai été convié avec ma mère et ma grand-mère. J'ai accepté l'invitation. Il est préférable pour toi que je sois dans la place. Ainsi, je garderai un œil sur ta mère et Gaby, et j'interviendrai en cas de problème pour les protéger.

– J'aimerais venir aussi, a proposé Winter. Avec mon grand chapeau crème qui me cache la moitié de la figure, personne ne saura qui je suis.

– Non, Winter, c'est trop dangereux. Tu ne peux pas courir le risque d'être reconnue. J'ignore qui sera présent. Et tu dois te concentrer sur ton propre mystère familial.

– Ce n'est pas une raison suffisante pour renoncer à t'aider.

– C'est très sympa de ta part, mais je me sentirai mieux si je n'ai pas à m'inquiéter pour toi. Tu comprends ?

Elle a acquiescé.

Boris m'a tendu deux objets en métal léger, chacun de la taille d'une boîte d'allumettes.

– Fais super gaffe avec ces joujoux, mon pote. Je ne suis pas tout à fait certain du dosage de la charge explosive. Si une capsule éclatait trop près de toi, elle risquerait de te blesser sérieusement. Jette-la comme une grenade, et, autant que possible, pas sur quelqu'un. Sous le choc, les produits chimiques se mélangeront à l'explosif, dégageant en quelques instants une épaisse fumée qui se répandra très vite. Une fois ton projectile lancé, cours dans la direction opposée, sinon tu seras aveuglé toi aussi. Pigé ?

J'ai soigneusement rangé les capsules dans mon sac à dos.

– Tiens, a ajouté Boris, je t'ai apporté une autre de mes inventions : la poudre d'enfer. La quantité de magnésium est approximative. Le principe est le même que celui de la poudre magique, en revanche le mélange est plus puissant et moins stable. Ne l'utilise qu'en cas d'absolue nécessité.

31 octobre
J –62

Chapelle de Whitecliff

`16:36`

Vêtu d'un pantalon et d'un blazer gris que j'avais dénichés dans une boutique discrète, je me suis glissé dans la chapelle. L'édifice était ouvert et désert. Au bout d'un quart d'heure de fouille prudente et minutieuse, certain que le tueur n'avait pas encore pris position, je me suis faufilé vers la tribune, accroupi à côté de l'orgue...

Ce mois d'octobre avait été si riche en événements qu'il m'avait semblé durer une année entière. Mon cerveau était saturé d'informations et d'impressions. Et voilà que je me cachais dans une église, attendant qu'un tueur à gages vienne interrompre le mariage de ma mère et de mon oncle. J'ai respiré plusieurs fois à fond pour m'obliger à me concentrer sur la tâche à accomplir.

18:00

Marjorie et Graham, les plus proches voisins de notre ancien domicile de Richmond, sont arrivés en avance avec une sono sophistiquée et des petits bouquets à suspendre à l'extrémité de chaque banc. De ma position surélevée, je les ai regardés disposer les haut-parleurs. Parfait : il n'y aurait pas d'organiste pour me déranger.

19:30

Les premiers invités ont pris place. La plupart m'étaient inconnus, en dehors de quelques anciens collègues de ma mère. J'ai vu entrer Boris, encadré de sa mère et sa grand-mère qui lui donnaient chacune le bras. Il les a conduites au deuxième rang sur le côté – l'emplacement idéal : assez près de ma mère et de Gaby pour les secourir si nécessaire.

20:10

L'assemblée était installée dans la chapelle et attendait que les futurs mariés et Gaby fassent leur apparition. Mes yeux scrutaient les invités, à la recherche d'un intrus ou d'une anomalie.

Pourrais-je empêcher quelqu'un de lever le bras et viser sa cible?

Les personnes des trois premiers rangs me paraissaient avoir un comportement tout à fait normal. Tranquillement assises, elles se tournaient de temps à autre vers leurs voisins pour échanger quelques mots à voix basse.

De toute façon, comment identifier un tueur à gages? Il possédait sans aucun doute le talent de se fondre dans n'importe quel groupe.

20:46

Les futurs mariés étaient franchement en retard. Tout le monde commençait à s'impatienter – y compris le tueur, certainement.

Soudain Ralf s'est avancé dans l'allée, seul, vêtu d'un costume sombre qui, je l'aurais juré, avait appartenu à mon père. Il a adressé un signe de tête à Marjorie, postée près de la sono. Aussitôt les premières notes de la célèbre marche nuptiale ont éclaté dans la chapelle tandis que je me cramponnais aux deux capsules de poudre magique.

J'ai risqué un coup d'œil par-dessus la rambarde de la tribune. Ma mère remontait l'allée centrale. Elle paraissait terriblement fragile dans sa robe bleu pâle, trop ample, qui accentuait sa maigreur. Gaby, une couronne de fleurs blanches en équilibre instable sur ses cheveux, lui donnait la main.

Fallait-il que je lance la poudre magique ? J'hésitais. Je ne voulais pas intervenir trop tard, mais pas trop tôt non plus.

Quand elles ont rejoint l'autel derrière lequel se tenait la célébrante[1] de l'union – une femme en robe bleu marine, au visage sympathique –, Gaby s'est écartée pour s'asseoir sur un banc. Marjorie lui a passé un bras autour des épaules.

J'étais sur des charbons ardents. Si je tardais inutilement, je laissais au tueur à gages le temps de sortir son arme. Et s'il abattait Ralf ? Ou pire, s'il le ratait et tuait ma mère ?

Debout face à l'autel, les futurs mariés échangeaient parfois un regard complice. Être témoin de cette scène me donnait le vertige. Il fallait que je me ressaisisse.

Un homme s'est levé et approché du couple. Il portait un coussin sur lequel reposaient deux alliances.

Désormais, toute l'assistance, immobile, écoutait les paroles de la célébrante qui souriait.

Elle a toussoté avant de déclarer d'une voix plus forte :

– Si, parmi vous tous réunis ce soir devant moi, quelqu'un voit une raison de s'opposer à l'union de ces deux personnes par les liens sacrés du mariage, qu'il s'exprime...

---

1. Dans la religion anglicane implantée en Australie comme dans de nombreux pays anglo-saxons, les femmes peuvent être ordonnées prêtres.

De l'ombre a surgi un homme en manteau, le visage dissimulé par un chapeau à large bord. Il a glissé la main à l'intérieur de son vêtement.

J'ai bondi, les capsules de poudre magique serrées dans mes poings, et hurlé :

– Attention ! Il y a un tueur dans l'église !

L'inconnu tenait une arme.

Tout en dévalant l'escalier quatre à quatre, j'ai jeté une capsule dans la nef. Un épais nuage de fumée brune a envahi l'espace. Arrivé au bas des marches, j'ai entendu ma mère par-dessus les cris de panique des invités.

– Cal ! C'est mon fils ! Cal ! Où es-tu ?

J'ai aperçu Boris qui regardait dans ma direction. Il avait déjà poussé sa mère et sa grand-mère dehors et entraînait ma petite sœur par la main. Affolés, les gens se bousculaient, prêts à se piétiner pour sortir.

Puis la fumée dense a tout occulté. J'ignorais où était le tueur. J'espérais qu'il se trouvait dans l'incapacité de tirer.

– C'est Cal Ormond, l'ado-psycho ! s'est exclamée une voix. Il est ici, il veut assassiner sa famille !

– Que tout le monde quitte l'église ! ai-je crié à mon tour. Il y a un tueur parmi vous ! Vite !

Il m'a semblé voir le long manteau virevolter au milieu de la fumée, non loin de moi, et s'enfuir en direction de la porte. J'ai lancé la deuxième capsule de poudre magique sur la tribune.

Je me suis éloigné juste avant qu'elle n'explose dans un tourbillon d'étincelles et de fumée. Boris m'avait prévenu... son invention n'était pas encore au point !

Il m'a semblé qu'il n'y avait plus personne dans la chapelle. J'ai foncé vers la sortie et réussi à m'échapper juste au moment où les poutres du plafond s'embrasaient dans un ronflement sinistre. Des flammes s'élevaient violemment en spirales au milieu d'énormes panaches de fumée.

Les invités couraient se réfugier dans leurs voitures. Parmi eux, j'ai repéré ma mère et Ralf, talonnés par la célébrante.

Le tueur, lui, avait disparu.

Il fallait l'imiter au plus vite. On m'avait identifié, déjà des sirènes hurlaient au loin. De la ville me parvenait aussi le *flap flap flap* saccadé d'un hélicoptère.

Derrière moi, déjà, l'incendie faisait rage. Le brasier crépitait. Les vieilles poutres éclataient avant de tomber avec fracas sur le sol.

Tout en m'enfuyant, j'ai pris mes repères. Je me dirigeais vers une banlieue pavillonnaire dense.

Des voitures étaient garées le long des trottoirs. Je ne pouvais pas m'éterniser. Trop de témoins. J'ai remonté mon sac à dos sur mes épaules, baissé la tête et foncé sur le trottoir, puis me suis enfoncé dans la nuit noire.

Les habitants sortaient de chez eux pour observer l'incendie et le ciel qui s'embrasait au-dessus de la chapelle. Ils ne me remarquaient pas. Je me suis fondu dans le paysage urbain.

Whitecliff

23:39

Caché dans un bosquet depuis deux heures, je ne savais plus quelle conduite adopter. Déguerpir au risque d'être repéré ou rester embusqué en espérant ne pas être découvert ? N'y tenant plus, j'ai bondi dans la rue. Le vrombissement des pales de l'hélicoptère s'est rapproché juste à ce moment-là !

Brusquement une lumière vive m'a aveuglé. J'ai accéléré pour l'éviter. Peine perdue. J'avais beau louvoyer, le projecteur me suivait inexorablement. Autant chercher à semer son ombre.

Je me suis réfugié sous un arbre pour reprendre mon souffle. C'est alors que j'ai repéré, disposée en un large demi-cercle, une unité du SWAT[1], les brigades d'intervention spécialisées de la police, qui m'attendait, bouclier et matraque au poing.

Impossible de fuir.

1. Acronyme de « Special Weapons And Tactics ».

Dans mon dos, les voitures de patrouille convergeaient vers mon abri tandis que les policiers du SWAT avançaient sur moi à une cadence effrayante. J'avais sauvé Ralf d'une balle fatale, mais mon intervention m'avait précipité dans la gueule du loup.

J'ai repris ma course éperdue, dans l'espoir insensé d'échapper au cercle de lumière.

Soudain je me suis souvenu de la troisième capsule que Boris m'avait donnée, la poudre d'enfer aux effets destructeurs imprévisibles !

Elle constituait mon ultime chance. Je l'ai extirpée de mon sac et jetée en l'air.

Elle a décrit un arc de cercle avant de redescendre, petite forme noire sous la blancheur crue aveuglante du projecteur de l'hélicoptère.

Elle a touché le sol. Rien ne s'est produit.

La poudre d'enfer ne fonctionnait pas !

Ce n'était qu'un pétard mouillé !

J'ai stoppé net. Pris en tenaille entre l'escadron du SWAT et les policiers qui jaillissaient de leurs véhicules, je n'avais plus aucune issue possible...

*Cal a-t-il une chance
d'échapper au SWAT ?*

*Qui possède l'Énigme
et le Joyau Ormond ?*

Quel est le secret des bébés jumeaux ?

Vous le saurez dans

NOVEMBRE

Retrouve Cal
et toute l'actualité de la série

sur le site

www.livre-attitude.fr

L'auteur

Née à Sydney, Gabrielle Lord est l'auteur de thrillers la plus connue d'Australie. Titulaire d'une maîtrise de littérature anglaise, elle a animé des ateliers d'écriture. Sa quinzaine de romans pour adultes connaît un large succès international.

Dans chaque intrigue policière, elle attache une importance primordiale à la crédibilité et tient à faire de ses livres un fidèle reflet de la réalité.

Elle a suivi des études d'anatomie à l'université de Sydney, assiste régulièrement aux conférences de médecins légistes, se renseigne auprès de sociétés de détectives privés, interroge le personnel de la morgue, la brigade canine ou les pompiers, et effectue aussi des recherches sur les méthodes de navigation et la topographie. Au fil du temps, elle a tissé des liens avec un solide réseau d'experts.

Depuis plusieurs années, Gabrielle Lord désirait écrire des romans d'action et de suspense pour la jeunesse. C'est ainsi qu'est née la série *Conspiration 365*, qui met en scène le personnage de Cal Ormond, adolescent aux prises avec son destin.

Achevé d'imprimer en France en Avril 2016
sur les presses de l'imprimerie Jouve Numérique
Dépôt légal : septembre 2013
N° d'édition : 3766 - 02
N° d'impression : 2372034B